# まだ誰も見たことのない「未来」の話をしよう

語り　オードリー・タン
執筆　近藤弥生子

SB新書
574

# はじめに――日本の皆さんへ
## 今の私たちと50年後の皆さん、そして次の世代の人たちのために

皆さんは、１００年後の未来を想像したことはあるでしょうか？
あるいは、10年後、20年後でも構いません。

テクノロジーの進展で社会はよりいっそう変わっていくといわれます。見えないテクノロジーが社会そのものを変えていき、働き方や生き方にまで影響を与える。

ＡＩで仕事が奪われるといった話は皆さんも聞いたことがあるでしょう。
あるいは、加速する超高齢社会や、世界規模で起きている環境破壊の影響を心配す

る方もいるかもしれません。

それでも、私は、未来は希望のほうが多いと感じています。

なぜなら、私たち自身が未来を創っていけるからです。

台湾では「ソーシャルイノベーション」が活発になっています。立場や今いる場所にかかわらず、さまざまな考えを持った人がともに目的を達成していく。

その結果、多くのコンセンサスを得た社会システムの構築が、すごい勢いで進んでいます。すべての人が孤独に闘うのではなく、助け合いながら社会を変えていく、という在り方は、世の中が変わっていく今こそ、大事だと思います。

本書では、私が考える未来についてお話をさせていただきました。

デジタルで世界はどう変わっていくか、皆が参加できる社会とはどういうものかなど、できる限り皆さんの参考になるよう努めたつもりです。

本書を読むことで、一人でも多くの方が未来に希望を持てるようになり、私たちと一緒にこれからの世界を創ってくれる方が生まれたらうれしいです。


最後に、私は自分の著作を持ちません。

なぜなら自分自身をオープンソースにしておきたいからです。

したがって誰でも私の話を広めることができますし、インタビューの内容をネットに公開してあるので、私の発言部分に関しては転載・二次利用していただいて構いません（CC01.0――いかなる権利も保有しない）。


この本の執筆は、信頼する書き手である近藤弥生子さんにお任せしました。

といっても、自分自身の話であることには変わりないですので、安心して読んでいただけたらと思います。

本書をきっかけに、一緒に未来を創っていく人が、世界に一人でも増えたらうれしいです。

Audrey Tang

# 第2章 これからの「社会」の形を考える

## ――「ソーシャルイノベーション」を通じて、皆が参加できる社会へ

# 第3章 世界と私たちの未来

第4章

# これからの未来を創る皆さんへ

- Ⓠ 今後の超高齢社会で、退職後はどのように過ごせばよいでしょうか？ 215
- Ⓐ 公共のために何かしてみるのはいかがでしょうか。
- Ⓠ これからの世界を生きていくために、持っておきたい価値観はありますか？ 219
- Ⓐ 社会が用意した脚本通りに振る舞わなくてもいい時代です。

第1章
# デジタルで世界はどう変わっていくか

# デジタルの未来 ― 人と人のつながりを変える

## デジタルの向こうにあるもの

まず日本の皆さんにお伝えしたいのが、私にとってＩＴとデジタルとはまったく別のものであるということです。

**「ＩＴ（Information Technology、情報技術）」とは機械と機械をつなぐものであり、「デジタル（Digital）」とは人と人をつなぐもの**です。

この説明は、実は日本の皆さんのために作りました。私は２０１６年から台湾で「デジタル担当大臣」をしていますが、日本で私のことが報道される時、「ＩＴ大臣」

と記載されることが多かったので、その違いを説明したいと思ったのです。「IT」だと2文字で済みますので、もしかしたら文字数が短く済むという理由からかもしれませんが、私にとってその意味はまったく異なるものなのです。

私にとっての「デジタル」を知ってもらうために、まずは私のジョブディスクリプション（職務記述書）をご紹介します。

*When we see "internet of things", let's make it an internet of beings.*
*When we see "virtual reality", let's make it a shared reality.*
*When we see "machine learning", let's make it collaborative learning.*
*When we see "user experience", let's make it about human experience.*
*When we hear "the singularity may be near", let us remember: the plurality is here.*

「モノのインターネット」を見たら、「人のインターネット」に変えていこう。

「バーチャルリアリティ（仮想現実）」を見たら、「共有現実」に変えていこう。

「マシンラーニング（機械学習）」を見たら、「協業学習」に変えていこう。

「ユーザー体験」を見たら、「人間体験」に変えていこう。

「シンギュラリティ（技術的特異点）が近い」と聞いたら思い出そう。「プルーラリティ（複数性）」がすでにここにあることを。


「モノのインターネット」は、「ＩｏＴ」とも呼ばれ、モノとモノ同士がコミュニケーションをとるためのネットワークです。でも、実際には、モノの向こうには「人」がいるはずです。

同じように、たとえ「仮想現実」であっても、私たちにとってそれは「共有体験ができる現実」です。「機械が学習する」のを、私たち人間がともに学習していくこともできるはずですし、「ユーザー体験」といっても、それは人間である私たち自身の体験です。

「シンギュラリティ」でＡＩが人間を超えるのではないかといわれることもありますが、一方で私たちはそれぞれの個性を発揮しながら「多様性」の中を生きています。

こんなふうに、デジタル化は決してデジタル単独で進むのではなく、**その向こうには私たち人間がいる**のだということです。

## デジタルのコアバリューは、人と人をつなぐこと

例を挙げましょう。台湾には日本の厚生労働省に相当する「衛生福利部」の「中央感染症指揮センター（原名：疾病管制署）」が管轄する「１９２２」という感染症相談専門ダイヤルが２００４年から設置されていて、コロナ禍でも不安があれば24時間３６５日いつでも電話できるようになっています。

市民がここへ電話をかけると、誰かが電話を取って、感染症対策について相談にのってくれます。これは、人と人のつながりですよね。

でも専用ダイヤルに電話しても、つながるのが人ではなく、録音された音声だったらどうでしょう。人が相談にのってくれるのではなく、マシンラーニングによって、「問い合わせてきた人が求める答えはきっとこれだろう」という形で自動的に情報が返されるような場合です。機械側には誰も人間がおらず、電話をかけてきたのが人間であるかどうかを確認することさえしません。これは機械とのつながりであるといえます。

つまり、私にとってのデジタルとは、〝その先にいるのが人である〟ということを意味します。**その先にいる人が機械に置き換えられたり、すべての経緯が機械によって代替されてしまうのであれば、それはデジタル担当大臣である私の職務ではありません。**

昔、エレベーターの中には、その昇降を操作する人がいましたが、現在ではすべてが自動化されたシステムに置き換えられ、ボタンを押せば上に行ったり下に行ったりします。これは機械と機械のつながりですね。自動音声が「上へ参ります」「下へ参ります」と言ったとしても、これらの技術は、人と人をコミュニケーションさせるものではありません。その分野に関して私も少しばかりの知識はありますが、それは私の仕事ではないのです。

一方、日本の一部のデパートには、エレベーターの中にスタッフがいて、各階へ行くボタンを押してくれるそうですが、その方の仕事はエレベーターを操作することではなく、ゲストにサービスを行うことですね。だから、エレベーターを稼働させることについては特別注意を払わなくてもよいわけです。

このように、反復性が高い仕事はＩＴや機械に任せ、人間はお互いのコミュニケーションに注力していこう、というのが今の風潮です。

そして、私の考えるデジタルとは、多様性に富んだ社会において人間同士のコミュニケーションをより促進することができるものなのです。

では、一方のＩＴについて考えてみましょう。

私が思うＩＴの強みとは、〝**新しく何かが発明された時、それをとても簡単に、ほとんどコストを必要とせず、他の場所にいる人に使ってもらうことができる**〟ということです。

私がコンピュータ上で書いたプログラムのコードは、おそらくあなたのコンピュータ上でも、何の問題もなく使うことができるでしょう。私はコードファイルをコピーしてあなたに送るだけで、ほぼ苦労することもなくあなたにシェアすることができますし、あなたも受け取ったものをすぐに使うことができる。これは、他の多くの技術が専門的な設備を必要とし、たとえ基礎知識がある人でも再現が非常に難しいのに比べて、大きく異なる点ですね。


私はこうしたＩＴの強みを活かしながら、デジタル領域を推進しているのです。たとえばビデオ通話は、私たちが何もしなくても、録画するだけで動画ファイルになります。自動で字幕を付けることもできますし、字幕を翻訳して反映することもできます。時間や場所が合わなかったり、言語の違いで今まで参加できていなかった人々も、少しの技術を用いるだけで加わることができます。

こんなふうにＩＴを用いて、その件にかかわるすべての人がつながっていく。それこそがデジタルのコアバリューであり、強みであると思います。

## 「リモート」から「共通の場所」の時代へ

もう少し「デジタル」の未来について考えてみましょう。

たとえば、私はリモートワーク歴20年のキャリアを持っています。過去にアメリカで起業したこともありますが、現地に滞在したのは最初だけで、あとはほとんど台湾からリモートで仕事をしていました。

これまで「リモートワーク」と聞くと、ほとんどの皆さんが思い浮かべるのは「在宅勤務」だったと思います。でもその価値観はコロナ禍によって大きく変化しましたよね。ただ、現在のリモートでは、相手との間がモニタで隔てられていたり、相手が二次元化されて表示されることによって、相手と場を共有できていないような感覚を抱きやすくなっています。私が「今日はいい天気ですね！」と言ったとしても、相手がいる場所は大雨で、しかも真夜中だったりすると、「同じ場所にいる」という感覚を持ちづらく、孤独感を持ちやすいのです。今できる解決方法としては、互いに同じ飲み物や食べ物を用意したり、話す時間帯を毎回同じにしたりして、リモートであっても一体感が感じられるよう工夫することくらいかもしれません。

でも、近い未来には、次第に人間の五感までもリモート方式で送信できるようになっていくでしょう。

その時が来たら、人々は違う場所にいても、まさに**「同時に同じ場所にいて、五感まで共有できている感覚」**を持つことができます。それはもはや「リモート」というよりも、皆で同時に一つのバーチャル空間にいるような状況です。たとえバーチャル空間であっても、感覚的には同じ「場所」にいるように感じられます。

現代ではまだ「ネット空間」「バーチャル空間」というように「空間」を共有することはできても、「共通の場所にいる」というところまでは至っていないので、私たちは実在する世界でそれを補っているのです。ただ、今後ネット空間がますます大きくなり、通信量も増えていくにしたがって、人々の感覚はもしかすると完全に融合し、それが「ネット空間」なのか、「実在する空間」なのかといった区別自体がなくなっていくかもしれません。

## デジタルのある世界では、誰もがメディアの一員

デジタルによって「人と人とのつながり」が変わっていくとしたら、どんな変化が起こるのでしょうか。まずは、「個人」の変化についてです。

世界にデジタルが登場してから起こった変化の一つに、「誰もが、自分の視点で世界に貢献できるようになった」ということがあります。

これがどういうことか、説明しますね。

メディアは何かを報道する時、その切り口によって受け手に「この出来事はあなたとこんな関係がありますよ」と伝えます。けれど、その共通認識が受け手との間にしっかり築けていないと、その報道がスルーされてしまうことだってあり得ます。

ですが、デジタルが普及した今では、たとえSNSのフォロワー数が少なかったとしても、あなたの視点が誰かと共鳴を引き起こすことさえできれば、インターネット上で拡散されていきます。翻訳されて海外に届くこともあるでしょう。あなたの経験が、他の人から「確かにそうだ。これまで考えたことはなかったけど、このことは私とも関係がある！」と思ってもらうきっかけになります。誰もがメディアの一員になったということですね。

## 自分はメディアであり、プラットフォームである

私自身も、自分はメディアでありプラットフォームであることを意識して仕事をしています。

私は毎週水曜日をオープンオフィスの日と決めて、誰でも私と対話することができるようにしています。その日には、小学生から80代のおばあさんまで、幅広い世代、さまざまなエスニシティの方が訪れます（日本からもたくさんの方がリモート経由でエン

トリーしてくれています）。そして、そうした人々との対話で集めた意見を〝パズルのピース〟のようなものであると捉えています（私自身もまた、一つのピースです）。

40分間の面会の間、私が話すのは最後の10分間程度で、他の時間は相手の話に耳を傾けることに集中します。

なぜそんなに集中しなければならないのか？　それは、**私が相手の視点から物事を見てみたいと思っているからです。**相手の視点に立つためには、相手が言いたいことを完全に理解することが必要です。

その人は、何かとても重要であると思うことがあるからこそ、わざわざ私を訪ねてきてくれたわけです。けれど、もしかしたらその人自身「なぜそれが重要であるか」を明確にしきれていないかもしれません。私は相手がなぜそれをとても重要だと思うのかを知るために、徹底して相手の視点に立たなければならないと思っているのです。

私の考え方が自分の視野によって制限されているように、他の人は私とは違う世界を見ている。これは対話において基礎となる概念ですね。相手には私が見えていないものが見えているかもしれないし、相手の考えのほうが道理にかなっているかもしれない。私は、いつも自分が間違っているかもしれないという感覚を持ちながら話を聞いています。

とはいえほとんどが初対面の相手ですから、先入観を抱きやすい状況です。自分が疲れているために「相手も疲れているだろう」と思い込んだり、相手が楽しそうに見えるから「この人は楽しいんだ」と錯覚するようなことが起こりやすいんですね。だから私は完全に自分を手放します。発言はせずにひたすら傾聴し、相手の視点を取り込むことに集中します。

そして、最後の10分で私は質問を投げかけます。

「具体的にどのようなことをすればよいか?」とか、「他の人がそれについてどのような協力ができるのか?」といったことです。

それは私自身の参考にするだけでなく、私の質問で補うことによって、このパズル

台北の小学生たちがオープンオフィスを訪問した時の様子。
出典：2020-09-02 長安國小學生來訪

**オープンオフィスエントリー「Booking.AU」**
現在はソーシャルイノベーションプラットフォームに登録したソーシャルイノベーション関連組織のみが対象。それ以外の問い合わせも可能。
https://au.pdis.tw

のピースが他のピースと合わさることができるようにするためです。

私のオープンオフィスの模様は議事録や動画でインターネット上に公開されますから、私もその相手も面識のない第三者がそれらの記録を見た時に、その相手に直接連絡することができるようになります。リアルな場とインターネットを組み合わせ、私自身が一つのプラットフォームとして、さまざまな人や意見がつながることを意識しています。

## インターネット上のコメント欄の設計も、大切な政治の一つ

一方で、インターネットには問題点もあります。日本でよくいわれる「炎上」もそうですし、影響力のある人の意見に流されやすいという点を指摘する人もいます。それについて、私はインターネット上のコメント欄の設計も大切な政治の一つだと思っています。

大部分の人は、コメント欄があると、別の人の意見の気に入らないところを見つけて攻撃を始めます。賛成派は仲間を集めて、「いいね」を押します。反対派も、反対の意見を見つけて同じことをします。でもそれは、日本人だからではありません。台湾でも同じです。

入閣前に私が設立にかかわったプロジェクトに、誰もがオンライン上で法改正について討論できる民間のプラットフォーム〈vTaiwan〉があります。

立法院（国会に相当）で法改正の審議に入る前に、このプラットフォーム上で行政の担当者や市民、専門家といったあらゆるステークホルダーが討論し、大まかな合意に至ってから改正案の草案を作り、それを立法院に送るところまでを行うというものです。過去にはインターネット上での酒類販売、ライドシェアサービス〈Uber〉や、民泊〈Airbnb〉の国内参入などについて、異なる立場の意見が飛び交い、結論が出ずにいた議論を収拾し、法改正に大きく貢献してきました。

〈vTaiwan〉では、意見に対して賛成か反対かを表明するボタンを押すと、同じ意見の人がいる場所にあなたのアイコンが位置づけられます。こうしてさまざまな意見が分類され、可視化されるのです。

実際の話し合いの場では、極端な意見が目につきやすいかもしれませんが、こうしてオープンにして見てみると、実は多数派は別のところにいる、ということもわかります。

また、もしあなたがその意見に違和感を覚えるならば、自分で意見を出して投票を求め、人に評価してもらうこともできます。そこで自分と同様の意見を持つ人がどれ

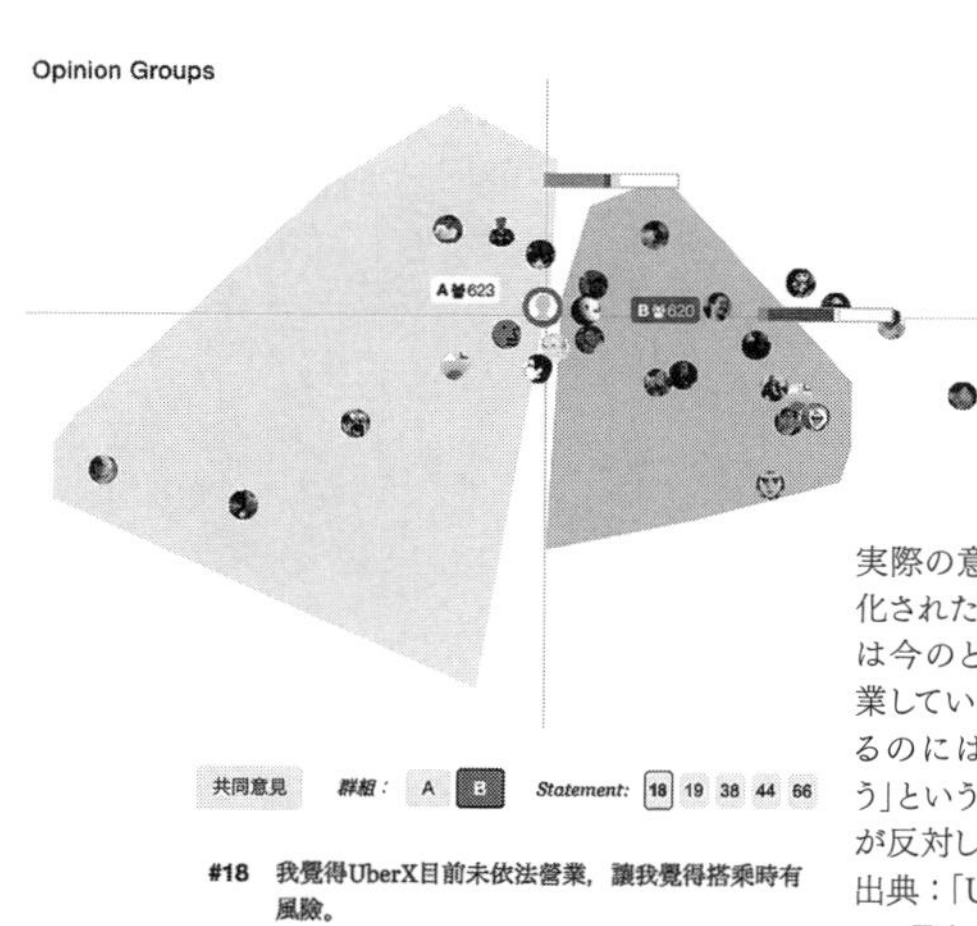


実際の意見グループが可視化された例。「私は、UberXは今のところ法に拠って営業していないので、搭乗するのにはリスクがあると思う」という意見に、80%の人が反対したことがわかる。
出典：「UberX 自用車載客—vTaiwan.tw」
https://pol.is/3phdex2kjf

だけいるのかを知ることができますし、反対の意見から違う視点を学べるかもしれません。

さらに、〈vTaiwan〉には、個人のプロフィールも表示されますので、自分の友人や家族が自分と違う意見を持っていることに気づくこともできるでしょう。でも、**意見が違っても友人は友人**、家族は家族です。そんなことに気づけるのもこのシステムのよいところです。

## 心得は「ガラスのハート」にならないこと

インターネット上でこうした状況を目

にしている、もしくは体験している皆さんに、私から一つお伝えしておきたいのは、「ガラスのハート」にならないでくださいということです。この世界で起きている言い争いの原因は、大部分が「ガラスのハート」に起因・関連しています。台湾では「地雷を踏む／踏まれる」と言います。

私自身、不快な地雷を踏まれてしまった時には、心のマッサージをすれば（あるいはいつもより長く睡眠をとれば）、だいたいその不快な気持ちを拭うことができます。何か嫌なことがあったら、次からもうそんな気持ちにならなくて済むように、また、言い争いをしなくて済むように、自分なりの対処法を用意します。たとえばネガティブなことがあっても、ユーモアを持って対処するとか、そういったことですね。

ちなみに、今朝は日本でのトークイベントにリモート出演したのですが、無線マイクが音を拾わず、私が話しても日本側には聞こえないというトラブルがありました。これは私と無線マイクの距離が離れすぎていて、マイクが集音できていなかったためで、私が2歩前に進んだら直りました。

私は音声が途切れてしまった時に「私の脳波が強すぎたためでしょうか」と言い、元に戻った時には「自分から前に数歩進んでこそ、コミュニケーションはスムーズになります」と言いました。皆さんもこれを面白いと思ってくれたようです。もし私が会場のスタッフを叱責したら、きっと大変不快な状況になったことでしょう。これも、ユーモアを用いて面白さや新しい連想を促し、「心のマッサージ」を行ったということです。

## AIは「Assistive Intelligence（補助的知能）」か「Authoritarian Intelligence（権威的知能）」か

もう一つ、デジタルの未来で大きく注目されているのがＡＩ（Artificial Intelligence、人工知能）です。私は中学生の頃にＡＩについて研究した結果を「電脳哲学家」というタイトルで台湾のコンクールに応募し、グランプリを獲ったことがあります。１９９5年のことでした。私にとってＡＩとはそれくらい前から関心事の一つでした。

1995年、オードリーは全台湾の小中高生が参加する科学コンクール「科展」に「電脳哲学家」という作品で参加、第1位に。隣は父方の祖母・蔡雅寶（ツァイヤーバオ）。オードリーはデジタル担当大臣となった今でも、政策のわかりやすさなどについて祖母に相談することがある。提供：唐光華／オードリー・タン

「ＡＩが私たちの仕事を奪い去ってしまうのでしょうか？」というのは、日本からも台湾からも、非常によく聞かれる質問です。そこで私がいつも答えているのは、私にとってＡＩとは**「Assistive Intelligence（補助的知能）」**であり、**「理想のＡＩはドラえもん」**だということです。完全に人類に取って替わるものではありません。

私は「ＡＩは人や人間社会の価値にどんどん協力するようになる」と信じていますが、一方で皆さんが映画『ターミネーター』などを観て、私が言っていることと真逆の状態を想像するということも理解できます。私たち人間の価値がどんどんなくなり、ＡＩの決定に従わなければならなくなるという状況ですね。それを私は**「Authoritarian Intelligence（権威的知能）」**と呼んでいます。

私の言う「Assistive Intelligence」は「あなたにとってよきように」という出発点に立ち、自分の下した決定についてあなたに説明してくれますが、『ターミネーター』はまったくあなたを考慮しない判断をし、それについて説明してくれるといったことも一切ないでしょう。ＡＩの進化を恐れている方は、こうした状況が訪れることを心配しているのではないでしょうか。でも、私の信念は揺らぎません。冒頭でも述べましたが、私たちがＡＩの未来も創っていくことができるからです。

## ＡＩと付き合っていくために

ＡＩが社会の隅々に普及し始めたことによる、わかりやすい変化として何があるでしょうか。自動翻訳はどうでしょう。自動翻訳の普及のおかげで、私たちが今、新しい学問や領域について模索したいと思った時も、新しく言語を学ぶ必要はほとんどありませんよね。論文を読む時、YouTube の動画を見る時、ＡＩによる自動翻訳があるだけで、もはや言語圏の違いによって疎外感を感じることは非常に少なくなりました。

土日祝日も含めた毎日、時間無制限で記者会見に臨む中央感染症指揮センター指揮官の陳時中衛生福利部長。写真の即時字幕つきのものと字幕なしのものがライブ放送される。出典：【即時字幕】2021/9/16 14:00 中央流行疫情指揮中心嚴重特殊傳染性肺炎記者會

コロナ禍の台湾では、中央感染症指揮センター（新型コロナウイルス対策本部）指揮官の陳時中衛生福利部長（日本の厚生労働大臣に相当）らにより、土日祝日も含めた毎日、時間無制限で記者会見が行われるようになりました。蔡英文総統（大統領に相当）から最高権限を与えられ、政府内で指揮をとっている専門家チームが直接感染の状況や対策の方針を説明してくれるので、市民たちはフェイクインフォメーションに惑わされることなく、毎日午後2時から始まるこの記者会見を見るようになりました。

ただ、台湾は多様性に富んだ社会です。政府に認められただけでも16の「先住民

華語）がネイティブまたは第一言語ではない人々は、決して少なくありません。

メインで使われている言語が異なります。今の台湾で主流となっている中国語（台湾

（台湾原住民族）[*1]」がいますし、客家語や台湾語など、それぞれのエスニシティによって

そこでこの記者会見には、途中から同時手話通訳やＡＩ字幕が入るようになりました。同時手話通訳はプロの手話通訳士によるものなので問題ありませんでしたが、ＡＩ字幕は誤字が多かったため、途中から人間のサポートが加わりました。まずはＡＩが聞き取った言葉を文字にして打ち込み、それに対して人間が編集者のような役割で誤字を正すというやり方です。編集者の手が入ったものが字幕として現れ、視聴者はそれを見ることになります。

ＡＩは学習能力を備えているので、たくさんのデータがたまればたまるほど精度が上がります。それは言い換えると、データがたまるまでに時間がかかるため、このＡＩ翻訳のように、その間は人の手で補う必要があるということです。

たとえばＡＩにとって、記者会見でいつも聞いている陳時中部長の話はデータもたまっており、比較的正確に字幕を書くことができますが、まだデータが少ないメディアの記者たちの話はよく間違えてしまいます。そこで、記者会見の後で改めてＡＩに間違った箇所を教え、学習させる必要があります。

ＡＩの応用には「学習段階」と「発揮段階」があり、「発揮段階」では通常、同時に学習をすることはできません。私たち人間が、歌を練習する「学習段階」では努力が必要でも、覚えた歌を歌う「発揮段階」ではそこまで努力を必要としないというのに似ていますね。

ＡＩがなんでもできてしまうようなイメージを持つ方もいるかもしれませんが、現状はこのような状態です。ＡＩの捉え方、付き合い方の参考になれば幸いです。

＊1　台湾原住民族　台湾では「先住民」という言葉が「すでに滅びた」というニュアンスをもって使われるため、元来その地域で暮らしてきたという意味で「原住民族」と呼ぶことを政府が定めている。ここでは日本語表現を優先して先住民と記載した。

# デジタルは社会をどう変えるか

## 台湾の「デジタル民主主義」

次は、もう少しデジタル化と社会について見ていきましょう。

私たちが台湾で推進しているのは、デジタルを用いて民主主義をより前進させていく**「デジタル民主主義」**です。

私は入閣の際、「自分は公僕（公衆に奉仕する人のこと。一般的に公務員を指す）の公僕になる」と宣言しています。私のオフィス「ＰＤＩＳ（Public Digital Innovation Space）」の使命は、デジタルで公務体系を支援することです。「ＰＤＩＳ」には、政府内の各省庁（台湾では部会と呼ばれますが、本書では省庁と記載します）から任意で一人ずつ派遣されてきています。そんなこともあって、私たちは常に政府の縦割り組織を超えて協業しているんですね。

ここでもデジタルのよさが発揮されています。

デジタルの優れている点は、同じ時間に同じ場所にいなかったとしても、一緒に物事を行うことができるところです。チームで共同作業するべき書類を、インターネット上でシェアしておけば、あなたは時間が空いた時に私が残したものを見てくれればよく、私は自分の手が空いてから、あなたが残したものを確認できます。さまざまな資料は、このように「共同執筆」という形で作成することができます。同時刻に同じ場所に集まって会議しながら作成するのではなく、同じファイルを違う場所から違う時間に作成していきます。

私は入閣する前から、自分が慣れ親しんできたこのような「オープンソースコミュニティの働き方」を1000人以上の公務員たちに教えてきました。講義のカリキュラムはすっかり体系化され、動画や議事録も公開されています。「ＰＤＩＳ」のメンバーや講義を受けた人々が教師となり、この働き方が自然に広がりつつあります。

## 選択権を市民に委ねてこそ、民主的だといえる

「デジタル民主主義」で具体例を挙げるとするならば、「ショートメッセージを利用した実聯制（原名：簡訊實聯制）」が最も相応しいといえるでしょう。

台湾では新型コロナウイルスの感染拡大に伴い、公共の場所の利用には「実聯制」による実名制登録が義務づけられています。

これは、電車やバスなどの交通機関、コンビニやスーパー、オフィスなど人の集まる場所に出入りする際、何月何日に、どこへ入店したか、その人の氏名と電話番号を提出するものです。

開始当初は紙に記入して提出する方法だけが採用されていたのですが、それではあ

まりに不便だし、衛生面や個人情報保護の観点からの懸念も拭えないと、市民から指摘を受けていました。

そこで私が発案したのが「ショートメッセージを利用した実聯制」です。これは場所ごとに割り当てられた重複しない15桁の番号を、携帯電話のショートメッセージを利用して感染症相談ダイヤル「1922」宛に送るという方法です。15桁の番号は、手入力してもよいですし、携帯電話にカメラが付いていれば、QRコードをスキャンするだけで番号を読み取り、ショートメッセージで送信することができます。これであれば簡単ですし、個人情報の書かれた紙の管理を不安に思う必要もありません。

ポイントは、紙でもショートメッセージでも、〝利用者が好きな方法を選べる〟ということです。そのお店をとても信頼していて紙で登録したいのであれば紙（店舗備え付けの申告書）に記入すればよいですし、通信会社を信頼しているのなら、ショートメッセージを選ぶこともできます。

「ショートメッセージを利用した実聯制」では、QRコードをスキャンするだけで入店場所に割り当てられた15桁の番号を読み取り、ショートメッセージで送信することができる。筆者撮影

こういった形こそ、私が先ほど説明してきた「Assistive（補助的）」な手順であるといえるでしょう。もし私たち政府が権威的であれば、選択権を市民に委ねたりはせず、決めた方法に従わせていたでしょう。

ちなみに、このアイディアは、一晩ぐっすり寝たら思いつきました。私は睡眠をとても大事にしています。できれば一晩8時間以上寝ることにしていて、翌朝起きた時にはパズルのピースが次々とはまるかのように、やるべきことが自然と閃くのです。これは私だけに有効な方法ではなく、人間なら誰にでも備わった脳の働きです。逆に、睡眠を奪われたら、私は何も貢献できなくなってしまうでしょう。

## 台湾政府内で推進した「デジタルトランスフォーメーション（DX）」

2021年、日本でデジタル庁が設立された関係で、私が依頼された取材や講演のテーマに「デジタルトランスフォーメーション（DX）」関連のものが増えました。日本でも非常に関心が高まっているということですね。

私が台湾でデジタル担当大臣として推進しているミッションの一つに「オープンガバメント(開かれた政府)」があり、その中で行った施策のうち、最もDXの基礎に直結するのが、「Ｏｐｅｎ ＡＰＩ[*2]で政府をオープンにすること」だといってよいでしょう。正確には当時の張善政（ちょうぜんせい）行政院副院長が構想を描き、ジャクリーン・ツァイ(蔡玉玲)前大臣が法律方面を任されていて、私は２０１６年に入閣する前、２０１４年頃から、ジャクリーン前大臣のリバースメンター(若手が年長者に助言すること。逆メンターともいう)に就任し、ともに推進していました。すでに台湾の各省庁では、多くの「Ｏｐｅｎ ＡＰＩ」が提供されています。

「オープンガバメント」は４段階に分けられます。

１段階目は政府の資料やデータを開放する「オープンデータ」、２段階目は開放された後に何か意見がないか問いかける「市民参加」、３段階目がそれらに政府が回答する「説明責任」、そして４段階目が〝３段階目で誰かのことを忘れていないか〟を探す「インクルージョン」です。

「Ｏｐｅｎ ＡＰＩ」は、その第1段階「オープンデータ」に位置づけられます。政府が行っていることを、民間側でもより発展させられるようにするわけです。

例として、日本でもよく知られている台湾の〈マスクマップ〉が挙げられます。

コロナ禍初期の台湾でマスクの在庫が足りなくなった時、政府はマスクの在庫を「Ｏｐｅｎ ＡＰＩ」で公開しました。それを利用してシビックハッカーコミュニティ〈g0v（ガヴ・ゼロ）〉の仲間たちとともにわずか3日間で作りあげたのが、全台湾に6０００以上ある販売拠点のマスクの在庫が30秒ごとに更新される〈マスクマップ〉です。

この〈マスクマップ〉は、１０００人以上のシビックハッカー（社会問題の解決に取り組む民間のエンジニア）らによって、さらにＬＩＮＥボットやテレグラム、Ｓｉｒｉや Google アシスタントなど、１３０以上のアプリケーションへと応用されていきま

＊2　Ｏｐｅｎ ＡＰＩ（オープンエー・ピー・アイ）　ＡＰＩ（Application Programming Interface、外部から接続するための仕様や手続きなどのインターフェース）を公開（オープン）し、外部から連携できるようにすること。

した。公務員である私がまずスピーディにバージョン1を作ったことは、「抛磚引玉（ほうせんいんぎょく）（ことわざ。自らが粗い詩や未成熟な意見をはじめに出すことで、多くの優れた反響を引き出すこと）」であるということがいえます。

従来、政府案件はコンペに参加しないと、民間側で必要なデータさえ手にすることができず、何かを作ることはできませんでした。それが今では多くのデータが「Ｏｐｅｎ ＡＰＩ」で提供されています。これは、コンペで案件を勝ち取ったベンダーに対して、成果物もまた「Ｏｐｅｎ ＡＰＩ」で公開するよう政府側からも要求することができるということです。作ったものを批判する人がいても「データはここにあります。あなたがやってみてください」と言うことができます。

だから今、誰も部長（大臣に相当）たちに対して、これまでのように「なぜこのようにしないんですか」「なぜあのようにしないんですか」と問い詰めなくなりました。疑問を持つ人は、自分自身の手で疑問を解決できるようになったからです。

もちろん「Ｏｐｅｎ ＡＰＩ」を推進し始めたばかりの頃は、多くの省庁が自分たちのデータを外部のベンダーに商業利用させることのメリットを理解できずにいました。「ベンダーはそれによってビジネスチャンスが増えるかもしれないが、公務員側にとって何か価値があるのだろうか？」と。

けれど現在は違います。皆が「多くの人々が自分に質問しに来たとしても、自分は一度だけ回答すればよく、しかも自分が一度何かを発表しただけで、人々はそれを見た後にお互いに討論するから、自分は時間をそこに割かなくて済む。そしてたくさんの人に向けて何度も話すうち、うっかり相違が生じることもなくなる」というのが最大のメリットであると、しっかり理解しています。

つまり、オープンにすることで、公務員側が何度も重複して回答する時間と労力を節約できるようになっただけでなく、クリエイティビティのある人を制限するものがなくなったということですね。これは日本の皆さんにも参考にしていただけるのではないでしょうか。

## ３つのF――「Fast（速さ）」「Fair（公平さ）」「Fun（楽しさ）」

世界が新型コロナウイルス感染症に苦しめられている中で、台湾は苦難の中にあっても、権威的ではなく民主的な手法によって、防疫に成功してきました。また、コロナ禍においてもＧＤＰは成長（２０２０年は2・98％、２０２１年は6・09％）しており、海外からも防疫の優等生であると評価していただくことができました。

台湾はＷＨＯ（世界保健機関）への加盟をいまだ認められていませんが、台湾のやり方「台湾モデル」がきっと世界の役に立てると、私たちは信じています。

デジタル担当大臣として、私が台湾の防疫の成功についていつもお話ししているのが、〝3つのF〟――「Fast（速さ）」「Fair（公平さ）」「Fun（楽しさ）」――です。「コロナ禍において陣頭指揮をとる政府がまず速やかに対応し、情報の通達や政策は公平に、ユーモアを持って行うことが重要な成功要因なのだ」という意味です。

“３つのＦ”――「Fast（速さ）」「Fair（公平さ）」「Fun（楽しさ）」――について話すオードリー。出典：2020-08-18 MIT CDOIQ Keynote
https://www.youtube.com/watch?v=Eiar_SNMqUA&t=1180s

この〝3つのF〟について海外に向けて講演すると、「経済の発展と公衆衛生は、どちらかを取捨選択しなければならないのだと思っていた」という反応が返ってきます。ロックダウンしなくても防疫はできるのです。報道の自由を制限しなくても、ユーモアをもってフェイクインフォメーションを抑えることができるのと同じです。

また、インターネットを語る上でこの〝3つのF〟はとても役に立ちます。

私が小さかった頃、大人たちは「知らない人の車に乗ったらダメだよ」「知らない人の家について行ったらダメだよ」

と言いました。対面のコミュニケーションにおいて、相手が自分のよく知らない人である場合、時間をかけてやっと相手が善意であるか悪意であるかが判断できるということです。

ですが今の私たちは、毎日スマートフォンアプリで知らない人の車を呼んでいますし、民泊サービスでしょっちゅう知らない人の家に泊まっていますよね。なぜでしょう？　それはインターネットのプラットフォームは、何かトラブルが起こるとすぐに見つかって修正されるという性質を備えているからです。

さらに、インターネットのプラットフォームは多くの人の評価を一度に扱うことができるため、その人が良い人か悪い人なのかを一人ひとりに聞いて回らなくても、その人に対する評価が集まってきます。だからこそお互いを信頼することがより簡単に、より速くできるようになります。

インターネットの「Fast（速さ）」、大量に集められ評価は多様性を帯びているという「Fair（公平さ）」、そして「それは一理あるな」と思わせる評価だけが参考にされる

「Fun（楽しさ）」という〝3つのF〟が、インターネットプラットフォーム上における相互評価を、人々が信頼する材料でもあるのです。

出典：Twitter（@audreyt）での投稿。2021年7月18日
https://twitter.com/audreyt/status/1416588541279174656

2021年7月、もともと教育部（日本の文部科学省に相当）の潘文忠部長の代理で東京オリンピック・パラリンピックを訪問する予定でしたが、東京オリンピック・パラリンピックの防疫対策に協力するため、総統と行政院長（首相に相当）と話し合った結果、キャンセルすることを決めました。上の写真はその時にTwitterで文章とともに投稿したものです。

これは日本政府が新元号を発表する際の額縁をイメージしたものです。本当は「謝謝日本（ありがとう日本）」の4文字を伝えたかったのですが、「令和」のように2文字にすることができません。ですから二つの絵文字を用いることにしました。この絵文字も日本が発明したものです。はじめに発明したのはdocomoで、当時はモノクロでしたが、次第に美しいカラーに対応していきましたよね。

この絵文字のよさは、たとえ漢字が読めなくても、何も文字が書かれていなかったとしても、日本の国旗であることがわかりさえすれば、絵文字と国旗の組み合わせで、これが日本への感謝の意味だとわかってもらえるということです。皆さんに気に入っていただけてよかったですし、ここにも〝3つのF〟が効果を発揮しています。

## 市民には、政府に個人情報を監視されているかどうか、確認する権利がある

「デジタル民主主義」を語る時によく懸念されるのが、「市民が気づかないうちに、政府によって市民の個人情報が監視されるのではないか?」というリスクです。

私たちもこの点を非常に重視して制度を設計しています。

ここでも例を挙げましょう。

先ほど紹介した「ショートメッセージを利用した実聯制」ですが、この制度によって提出され保管されているデータを、衛生署のスタッフが閲覧したかどうかを、市民側も確認できるようになっています。また、防疫調査委員がそのデータを閲覧する時には、単一の入口からしかアクセスできず、保存やコピーもできないようになっています。そして、すべてのデータの閲覧記録は、28日間のみ保管されます（紙の「実聯制」によって回収されたデータも同様）。こうして個人情報を厳重に管理しているのです。

一方で台湾には、重大犯罪の可能性が高いことを理由に、警察が特別に情報を監視する「データ監視」といわれる捜査方法が存在し、それに関する専門の法律もあります。韓国もそうですが、警察が見たいと思えばデータにアクセスすることができます。

この「データ監視」と「ショートメッセージを利用した実聯制」はトレードオフの関係にあります。

「データ監視」の捜査が持ち出されれば、犯罪捜査を理由に警察にデータを見られることを恐れて、「ショートメッセージを利用した実聯制」に協力しようと思う人はたちまち少なくなってしまうでしょう。いくら私たちが「見られるのは重刑犯に関するデータだけです」と伝えても、警察がいったいどのように情報にアクセスしてくるのかわからないわけですから、疑う気持ちを止めることはできないでしょう。

シンガポールなども、国が法律で「殺人など、一定程度の罪を犯した場合、私たちはあなたのデータを調査します」と定めています。

ですが、台湾ではどのようなケースでも警察が「ショートメッセージを利用した実聯制」のデータを見ることはできません。**我々はこれが「通信」ではなく、中央感染症指揮センターに協力している行為であり、犯罪の捜査とは完全に切り分けられるべきであると認識しているからです。** それほど厳しく個人情報が保護されている、ということもできますね（このような認識にいたるまでの経緯は67ページで後述）。

このように、データについてはその目的を明確にしたうえで、厳重に管理していくことが大事だと思っています。

## 日本のＤＸの課題「２０２５年の崖」をどう乗り越えるか

日本の経済産業省が２０１８年に発表したＤＸレポートによると、日本の金融や鉄道、電力会社といった多くのインフラシステムが二十数年前に作られたものであり、当時はオープンソースを採用していたわけでもないため、その構造が複雑化し、老朽化して、ブラックボックス化しているとの指摘がありました。そのため、新しい世代のエンジニアたちがそのシステムについて学びたいとも思わなくなっていると。そうした事情からシステムのメンテナンスが困難になり、２０２５年には経済損失が最大12兆円と、現在の3倍にまで膨れ上がる「崖がある」と書かれているとのことです。

私はこれには二つの側面があると思います。

一つは、従来のシステムは、若い方が学びたいと思えば学べるということです。メインフレーム（基幹システムなどに用いられる大型コンピュータシステム）などのシステムは、現在でもあなたがパソコンやクラウドから接続して、その環境に慣れ親しむことができます。

私は以前、銀行のコンサルタントをしていたことがあります。当時メンテナンスしていたのはどれも20~30年前のとても古いシステムでしたが、私は自分の環境内でそれらを再現することができましたから、銀行のオフィスまで行って高価なシステムを使う必要がありませんでした。私は比較的リーズナブルなシステム上でそれらを試すことができ——もちろん速度はとても劣るのですが——、開発環境を自分でコントロールすることができました。

ですから、若い人も「絶対にそれらを学びたくない」とは限らないと思います。最大の問題は、〝一般の若いエンジニアたちに実際の環境を体験させてあげられる方法を持ち合わせていない〟ということです。だから若い人たちが学びたくなくなるといった状況が生まれてしまうのです。

ですが、先ほどもお話しした通り、私はこうした学習環境はまだ再現できると思っています。たとえば「ＵＮＩＸ」はとても古い技術ですが、現在でも多くのスマートフォンやノートパソコンを動かしているのは「UNIX」系のOSです。若い人たちが学びたくないわけではなく、**必要なのは彼らが学ぶことのできる環境**なのです。

もう一つの側面は、巨大なシステムにとって、最も重要視されるのは安定性であるということです。新しいニーズが訪れた時、既存のシステムの安定性を犠牲にしなければそれらに対応するシステムが確立できないように思われているかもしれませんが、前述した学習環境の問題をある程度解決できたなら、「Open API」を採用することでこれらの課題は解決できるようになります。

つまり、「Open API」とは、基礎の部分は安定させたまま、一種のオープン式のコンセント差込口のように、さまざまなインプットとアウトプットを行うことができるということです。この方法であれば、若い人たちに思う存分創造力を発揮してもらうことができます。

それはまるで、電力システムを安定させなければならない中で、あなたが差し込もうとしているのができたばかりの新しい装置だったとしても、電力システムそのものを変えることなく、変圧器によって110Vや220Vといった電圧に変え、新しいアイテムをサポートすることに似ています。私たちは、ソフトウェア上でもAPIによって同様のことを行えるのです。

昔はターミナルでシステムを管理するしかなかったのが、APIを変えるだけで、皆が必要とする「スマートフォンに最適化したWebサイト」を表示させることができます。もし皆がもうWebサイトを見なくなり、対話ができるチャットbotやVRを使いたいというなら、それも問題なく可能です。

「Open API」は、金融業の「FinTech（金融（Finance）と技術（Technology）を組み合わせた造語で、最新テクノロジーを採用した金融サービスを指す）」が発展する中で、業界を超えて広く使われるようになった概念です。台湾の金融業界にもすでに多くの「Open API」が見られます。銀行の基幹システムを使わなくとも、利用者は口座の残高を確認したり、振り込みなどを行うことができます。

エンジニアにとっても、従来だったらどこかの銀行に入行しなければ能力を発揮できなかったのが、現在では一度コードを書きさえすれば、異なる銀行のAPIにつなげて会計管理ソフトウェアを開発するといったことができるようになりました。

もちろん基幹システムが安定していることや、安全性の確保が必要という条件はありますが、角度を変えて見てみると、あなたが銀行の利用者だった場合、きっと嬉しいはずですよね。銀行が変わるのを待たずして、モバイル決済など最新の最も便利な方法で、慣れ親しんだ銀行を利用できるのですから。

「Open API」がなければ、システムインテグレーターたちの中で、20～30年の経験を持つベテランと、VRやbotを使いこなす若い人たちの創造力が絶えず争うことになっていたでしょう。

すべてオープンにしたからこそ、さまざまな人が創造力を発揮して便利なサービスを作りあげ、役所の仕事も減ったといえるかもしれません。

## デジタルが分断を加速させる？

この章の最後では、「デジタルが社会の分断を加速させるのではないか？」という、台湾でもよく問われる疑問について考えてみたいと思います。

台湾社会は非常に多様性に富んでいますし、世代間の対立もあります。

これを私はどう感じているか？　私はよく、「イノベーションとは新しい創造によって生まれる（創新、是由創而新）」と言っています。これは、衝突があってこそ新しいものが生まれるという意味でもあります。

私たちが次々と新しいものを生み出すことができるのは、どの世代であっても、自分が経験したことがないものを見た時に皆が〝ちょっと試してみよう〟と思えるからですよね。この好奇心はとても重要で、それぞれの世代が社会の新しいやり方に好奇心を持つだけで、最終的にはいつも皆のことをカバーした方法を見つけることができます。

逆に、世代間が互いに何の関心も持てなかった場合、**たとえば若者が過去にどんなことがあったのか知ろうとしなかったり、年長者がこの先社会がどうなっていくのかに興味を持てずにいると、皆が一緒に創造することはできなくなってしまいます。**

## 主流しかない世界は恐ろしい

台湾には「同温層（トンウェンツェン）」という言葉があります。これは、同じことに興味を寄せる人同士のコミュニティだけに身を置き、外へ出ずぬくぬくしているような状態を皮肉った表現です。

しかし、私は「同温層」が悪いものだとは思っていません。

ここではメンバー同士、お互いに励まし合うことができます。

それに、多くの人は一つのコミュニティにだけ所属しているというわけではないでしょう。私自身もハッカー、詩人、翻訳者など、さまざまな「同温層」に所属しています。

どのようなコミュニティに所属しているかということは、すなわちその人の独自性だということができます。つまり、〝他の人とは違う〟という意味ではなく、あなた自身が選んだ〝異なる「同温層」の組み合わせを持っている〟という意味において、あなたは唯一無二の存在なのです（けれどももちろん、それは排他的なものではありません。他の人もあなたと同じ「同温層」の組み合わせを持つことはできますよね）。

それでも、もしコミュニティ内だけで完結するのが危ういというなら、それぞれのコミュニティの代表者を二人ずつ——これは数学的な根拠があって二人なのですが——出し合って交流し、文化間の橋渡しをすればいい。複数のコミュニティの中で、どれかが主流ということではないのです。主流しかない世界は恐ろしいと思います。

## 大切なのは、社会の一人ひとりが「素養」を持つこと

「社会の多様性を尊重しながら、どのようにデジタルを取り入れていけばよいのか？」――その手がかりの一つが、**「素養（普段の生活の中で培った教養やスキル、たしなみ）」**だと思います。

私たちがエレベーターやエスカレーターのことを信頼して利用するのは、誰かからトップダウンでインプットされているからではありません。小、中学生の頃に誰もが基本的な原理を学んでいることで、エレベーター設置工事の際にどのようなことが考慮されているかというおおよその概念が備わっているからです。この概念とは、たとえば、エレベーターはいくつもの強固なワイヤーで支えられていて、そのうちの1本が切れてしまったとしても、その他のワイヤーで十分支えられるのだといった概念のことです。

エレベーターにはそれがどのような企業によってメンテナンスされているのか、前回の検査は何月何日だったのかといった説明が記されています。私たちはエレベーターの中にいるスタッフがどのような見た目をしているかにかかわらず、エレベーターに対する事前知識と、利用する際に目にしたメンテナンス情報などにより、そのエレベーターが墜落しないと信じることができます。これには、一人ひとりがそのことに関する基本的な「素養」を持っていることが鍵となります。

こうした「素養」があるからこそ、新しい技術が出てきた時に、その技術が私たちの助けになり得るものなのか、害があるものなのかを、社会が正しく判断できるのです。逆に社会全体にこのような「素養」がなく、少数の人間によって決断がなされるような状況では、それらの人々に悪意や偏見があったとしても、それを彼ら自身が正すことはとても困難です。

## 警笛を鳴らす人

台湾では、人々の「素養」が大切にされてきたと思います。新しい技術が作られ、それが私たちの人権などを侵害する可能性があると誰かが考えた場合、ただちにそのことを指摘し、討論が始まります。私たちはこれを「警笛を鳴らす人」と呼んでいます。

例を挙げましょう。

先ほど紹介した「ショートメッセージ実聯制」のデータに対して、警察が捜査権を行使したことを、ある裁判官が知りました。収集・保管されているショートメッセージのデータが、通信会社だけでなく、警察側にも同期されていることが明らかになったのです。

この裁判官は、これは間違っていると指摘しました。実際のところ、警察側もどの場所情報がどのデータベースに入っているかまでは把握していなかったのですが、それでも「捜査令状があればデータを取得できてしまうのはおかしい。私は警笛を鳴らさなければならない」と主張しました。

討論の結果、次のような結果になりました。

そもそもショートメッセージを送る番号である「1922」とは中央感染症指揮センターの代表番号であり、何か主体性のある番号ではありません。「1922」が誰かに電話をかけることはありません。その「1922」宛にショートメッセージを送るということは、どこかのお店や会社、誰かに電話をかけることとはまったく異なる行為です。

これらを踏まえ、中央感染症指揮センターは警察にこれらのデータを使用しないよう伝え、法務部(日本の法務省に相当)が次のような解釈を行いました。

「そもそも、ショートメッセージは人と人、または人と機械が連絡を取り合うものであるが、『ショートメッセージ実聯制』は場所の情報をスキャンしてチェックインするものであり、誰とも連絡を取り合っていない。つまり、通信ではない」と。

これにより、「『ショートメッセージ実聯制』のデータはモニタリングされるべきものではない」と、中央感染症指揮センターの会議で結論づけられました。

この結果からは、二つのことが見てとれます。

一つは言論の自由です。中央感染症指揮センターの方針で、言論の自由が支持されているからこそできることでした。

もう一つは、社会に十分な「素養」があったということです。感染対策のためのデータを警察が自由に閲覧できることで、私たちの社会にとってどんな不利益があるのか。それに警笛を鳴らす裁判官がいて、私たちがその意見に基づいて討論できたという状況があります。

この二つがあったおかげで、討論が開始されて数日後には結論を出すことができました。もし皆に「素養」がなければ、こんなに速いスピードで結論を出すことはできなかったでしょう。民主的であるためには、投票だけではなく、絶え間なく警笛を鳴らし、この社会の討論を刺激する人が必要なのです。

## 16歳で出合った「ハッカー精神」

「素養」の話の続きに、私が16歳の頃に出合った「ハッカー精神」という概念を紹介したいと思います。当時の私は非常に大きな啓発を受け、母に向けてこう言ったことがあります。「互いに助け合い、力がどんどん強くなることで、お互いを疑う気持ちは小さく削られていくんだよ」——。

台湾では〈総統杯ハッカソン〉というイベントが年に一度行われています。「ハッカソン（Hackathon）」とは、「ハック（Hack）」と「マラソン（Marathon）」を組み合わせた造語で、エンジニアやデザイナーらが一定期間、集中して開発作業を行うイベントのことです。ＩＴ業界では頻繁に開催されています。特定のチームを組み、意見やアイディアを出し合いながら制限時間内に出したアウトプットで成果を競います。

ハッカーというと、日本では悪いことをする連中のように思われているようですが、ハッカーの中にはよいことのためにハック（これまでになかったような斬新な方法を見出す）する「ホワイトハッカー」と呼ばれる人たちも大勢います。

さらに、〈総統杯ハッカソン〉はホワイトハッカーのためのイベントではありません。市民からの提案で社会的な問題を解決することが目的です。システムではなく、社会や環境の脆弱性を探しているともいえますね。問題を解決し、それをシェアしていくことで、他の人も同じような問題を解決しやすくできるという効果を持っています。

この〈総統杯ハッカソン〉開催に寄せた動画の中で、私はアメリカの有名なプログラマーであるエリック・レイモンドの『どのようにハッカーになるか（原題：How To Become A Hacker）』という文章を、「ハッカーは新しい物事を創造し、今そこにある問題を解決する。そして自由と共有の価値を信じる」といった形で紹介したことがあります。

また、エリックが説いている「ハッカーにとって大切な5つの心得」についてもお話ししました。

① この世界には、非常に多くの面白い問題が私たちを待っている。
② あなたが一つの問題を解決した後、他の人が同じような問題で時間を無駄に使うことのないよう、自分が思いついた解決方法をシェアしよう。
③ 単調でつまらないことは、人類がやるべきではない。機械を使って自動化しよう。
④ 私たちは自由とオープンデータを追求する。どんな権威主義にも抵抗する。
⑤ 自らの知恵を差し出し、勤勉に鍛錬することで絶えず学習する。

エリックは、「ハッカーは社会的に称賛され、認められるが、そのことで決して何かの権力を得られるわけではない」と言っています。それは、どんな見た目をしているとか、個人的なスキルが他の人よりも優れていたり劣っていたりということではなく、下心なくただシェアして自分の時間と創造性の成果を皆で使えるようにすることにより、ハッカーとして認められるということに他なりません。

このハッカー文化の基本的な考え方は、私個人の信念でもあります。入閣をきっかけに政府側に入ってから、私は少しずつこのハッカー文化のDNAを私たちの日常の行政の仕事に取り込むことで、公務員組織の文化を変えていきたいと思ってきました。そして今では、「同僚が抱えていた問題をハッカソンで解決した」といったように、「ハッカソン」という言葉は、すっかりポジティブなものとして使われるようになりました。彼らにとって、日常生活の一部になってきているといえるでしょう。

## デジタルによって世界中がオープンになる

私は入閣前から〈IETF（インターネット技術特別調査委員会。インターネットで利用される技術の標準を策定する組織）〉でインターネット上の規則作りに関与したり、〈W3C（World Wide Web Consortium。ウェブ技術の標準化を行う非営利団体）〉で通信ルールの取り決めを行うなど、国境を超えたインターネットという世界のルール制定にかかわってきました。

デジタルの世界に国境はありません。世界中がオープンになり、連帯していきたいというのが私たちの願いです。台湾はいまだＷＨＯへも国際連合へも加盟を認められていませんが、私たちは台湾で行った取り組みを世界の他の地域でも役立ててもらえるよう〈#Taiwan Can Help〉というスローガンで発信し続けています。

オードリーの名刺。筆者撮影

私は名刺に、〝デジタル担当大臣〟とだけ記載しています。これは台湾政府のために働く人間ではなく、台湾政府とともに仕事をする人間である、〈Not for TAIWAN, with TAIWAN〉という私の姿勢を示しているのです。

# 第2章

# これからの「社会」の形を考える

## ――「ソーシャルイノベーション」を通じて、皆が参加できる社会へ

## 「ソーシャルイノベーション」とは何か

2016年、デジタル担当大臣として入閣した時、私は自らに「ソーシャルイノベーション」「オープンガバメント」「若者の政治参加」という三つのミッションを課しています。

「ソーシャルイノベーション」というのは、従来とは異なる創造的な解決法によって社会問題や課題を解決するという概念です。

その起源はバングラデシュの経済学者であるムハマド・ユヌスが始めた「マイクロファイナンス」だといわれています。1974年にバングラデシュが大飢饉に見舞われ、多くの人が亡くなった時、食糧は有り余っているのに金銭的な理由で食べ物を買えず、人々が餓死していくのを目の当たりにしたユヌスは、27ドルという微少な金額を低利・無担保で融資する「マイクロクレジット」を行う〈グラミン銀行〉を1983年に創立したことで、貧困による飢えから多くの人々を救い、自立を支援しました。ユヌスは功績が讃えられ、2006年にノーベル平和賞を受賞しています。

人々が環境や社会問題について取り組もうとする場合、まずは自分たちで団体などを作って解決しようとしますよね。けれど、多くの大企業や大学なども同じようにそれらの問題を解決しようとしています。彼らは互いにベストな考え方を探り合うこともなく、別々の場所で真逆のことをしているのかもしれません。

私たちの仕事は、**すべての人が孤独に闘うのではなく、助け合えるよう「ソーシャルイノベーション」を用いて支援すること**です。これは台湾だけでなく、世界中どこであっても必要とされていることだと思います。

この章では、「ソーシャルイノベーション」を通し、皆が連帯してよりよい社会を実現するために、私たちが台湾から世界中の仲間たちとともに取り組んでいることを紹介したいと思います。そして、もし共感していただけたのなら、あなたをコミュニティの新しい仲間として歓迎します。

## 「ソーシャルイノベーション」で世界になかった概念を生み出す

私は入閣の時、林全（リンチュエン）行政院長（日本の首相に相当）に対して三つの条件を提示しています。①行政院（日本の内閣と各省庁を併せたものに相当）に限らず、他の場所で仕事をしてもいいこと、②出席するすべての会議、イベント、メディア、納税者とのやりとりは、録音や録画をして公開すること、③誰かに命じることも命じられることもなく、フラットな立場からアドバイスを行うこと、です。行政院長はすぐに「問題ないですよ」と言ってくれました。

そのおかげで、私は大臣としての公務を行いながら、「ソーシャルイノベーション」の基金会〈R×C（Radical × Change）〉の設立にかかわり、理事に就任しています。

この基金会のメンバーたちは、これまで世界になかったような数々の新しい概念を創り出しています。たとえば、従来の民主主義的な投票の欠点をカバーした〈クアドラティックボーティング（Quadratic Voting）〉は、私も台湾で〈総統杯ハッカソン〉の市民投票に採用しています。

二乗投票とも呼ばれるこの方法は、一人ひとりが1票ずつ投票するのではなく、合計99のポイントを持ち、それを使って投票します。1票を投じると「1×1＝1ポイント」、2票を投じると「2×2＝4ポイント」、3票を投じると「3×3＝9ポイント」というように、二乗のポイント数を消費していきます。

「あの人のこの公約はいいけれど、この人の公約も果たしてもらいたい」といった時には、誰に投票するかで困りますが、この方法だと投票者が比率を分けて複数の人に投票することができるようになります。一つの投票先に投票できるのは一度のみというのがルールで、票が一極に集中することがなく、少数派の多様な意見もすくい上げることができます。

また、一人の人に入れられる限度は9票（9×9＝81ポイント）までであるため、投票者は自分が票を入れようと考えている投票先だけでなく、他の投票先にも気が向くようになります。これによって新たな発見が生まれるのも面白いところです。

彼らが生み出すこうしたイノベーティブな概念は、この基金会の理事の一人であり、仮想通貨〈イーサリアム（Ethereum）〉の考案者でプログラマーのヴィタリック・ブテリンなど、世界規模のルールを設計している人々にも大きく影響を与えています。

## 誰でもアイディアを出せる〈総統杯ハッカソン〉

台湾政府の中で行われている「ソーシャルイノベーション」のうち、〈総統杯ハッカソン〉について少し紹介したいと思います。

第1章でも少し触れた〈総統杯ハッカソン〉は、台湾各地が抱える課題を市民たちが提議し、政府が公開するオープンデータを活用しながら解決案を模索するというもので、2018年から毎年開催されています。毎年5組がグランプリとして選出され、受賞したプランは専門家やシビックハッカーらの協力のもと、どのように予算をつけて実行するかを1年以内に政府側が検討します。

こう書くと、プログラマーなどテクノロジーに詳しい人や大学で専門知識を得た人など、特別な人が応募するものと思われるかもしれませんが、実際にはさまざまな立場の人が応募していて、公務員も数多く参加しています。

そして面白いことに、このハッカソンは賞金が出ません。それでも非常に多くの人々から提案が寄せられています。それは過去にグランプリを受賞したプランの9割が、政策として実行に移されていることも大きく影響しているでしょう。〝本当に解決したい問題〟がある人々にとって、大切なのは賞金ではなく、〝その問題が解決されること〟であるということが見てとれます。

これまでに受賞したプランを三つ、紹介しましょう。

【離島エリアの緊急医療を改善】

離島エリアの緊急医療改善に取り組み、2018年にグランプリを受賞した〈零時差隊（時差ゼロチーム）〉。発起人は衛生福利部・護理及健康照護司（看護・保健部門）の蔡淑鳳(ツァイシューフォン)司長です。

この部署は離島エリアにおける急病・重症患者のヘリコプターによる搬送制度を管轄しているのですが、２０１８年に蘭嶼(らんしょ)という離島から深夜に飛行したヘリコプターの墜落事故で6名が亡くなる事故が起きてしまったことをきっかけに〈総統杯ハッカソン〉にエントリーしてくれました。

もともとの制度は、遠隔地で急病・重症患者が出ると、その地域の医療機関の医師がヘリ搬送センターに申請し、センターが認めた場合だけ本島の病院へ運ばれるというものでした。

この制度は18年もの間運用されていたにもかかわらず、現場には大きな課題がありました。それは、患者の情報が、十分に共有されないまま、救急搬送されていたということです。

患者側から「離島の医療機関では不安だから」と本島の病院に行くことを主張されると、そのプレッシャーによって離島の医師も救急搬送を要請し、本来であれば審査の役割を担うべき救急ヘリセンターも審査をパスしてしまう傾向がありました。一方、本島の医師も、離島の医師の情報だけを頼りに治療することを心細く思っていたのです。

蔡淑鳳司長は「事故が起きた蘭嶼は旅行者に人気の島ですが、医療機関は島に一つだけです。台湾には18の離島があり、住所登録数は約30万人ですが、旅行客は年間100万人以上。つまりこれは蘭嶼だけの問題ではありません」と、デジタルネットワークで各所をつなぎ、関係者が同じ情報を見て緊急搬送が必要かどうかを皆で決めることのできるプラットフォームの立ち上げを提案しました。

グランプリを受賞した後、このプラットフォームを作るために個人情報保護法を含む6つの法律のハードルを突破し、緊急輸送の要請作業は多くが自動化され、5分程度でできるようになりました。また、わずか1年で全台湾105か所にこのシステムを設置することができたと聞いています。さらにこのシステムを構築しておいたおかげで、新型コロナウイルス感染症の発生後にも、すぐオペレーションを確立できました。

蔡淑鳳司長はこうも話してくれました。

「公務員の仕事は『なぜこれをやる必要があるのか』を周囲に理解してもらい、予算をつけるまでに長い時間と労力を費やす必要があります。でも〈総統杯ハッカソン〉では、審査の過程ですでにそれが証明されている。総統の後ろ楯があるおかげで、とても速いスピードで実施に移れるのです」

**【農地工場からの汚染をなくす】**

次に紹介する二つは、どちらも国連が掲げる〈ＳＤＧｓ（エス・ディー・ジーズ、Sustainable Development Goals：持続可能な開発目標）〉をテーマにした２０２０年のグランプリです。

一つは、歴史あるＮＰＯ〈緑色公民行動連盟〉による提案です。彼らは、環境保護のためにオープンデータに基づいて汚染を引き起こしている企業と対話しようという「透明足跡」プロジェクトを推進しており、今回の提案は中でも「農地工場」に重点を置いたものでした。

台湾では昔から、農地エリアの人々が自宅裏に作った工場が多数あり、中には大気汚染や水質汚染を起こしているものもあります。汚染が確認された農作物は廃棄されるのでフードロスにもつながり、これは頭の痛い問題です。にもかかわらず、誰も全体像を把握しておらず、経済部（経済産業省に相当）と農業委員会、そしてこのNPOが把握している農地工場の数がそれぞれまったく異なるという状態でした。しかも、現行法ではたとえ汚染の事実があったとしても、合法の農地工場として登記し存続させることが可能だということまで突き止めました。

そこで彼らは、経済部に対して農地工場の徹底調査を求めたのです。

経済部もその要求に応え、少しずつ調査の情報を公開し始めています。彼らが取り組んでいる問題は決して簡単なものではありませんが、〈総統杯ハッカソン〉での受賞を手がかりに前進しています。

## 【台湾のお茶文化と環境保護を融合させる】

最後に紹介するのは、民間の社会的企業〈CircuPlus〉が提案した「奉茶行動」です。「奉茶（フォンチャー）」とは、台湾で昔から根づく客人に茶を振る舞う習慣のことで、〈CircuPlus〉のメンバーは、その概念を環境保護と融合させた提案を行いました。

台湾には、公共の場所に無料で誰もが使える給水機が設置してあることが多いのですが、これまで「どこに給水機があるか」といった情報は、その場所に詳しい人だけが知るものでした。

そこで彼らは台湾中の給水機の位置やメンテナンス情報をオープンデータで公開し、さらにそれをリアルタイムで把握できるスマートフォンアプリを開発しようと提案しました。このアイディアは〈総統杯ハッカソン〉グランプリの受賞後、すぐに実現し、

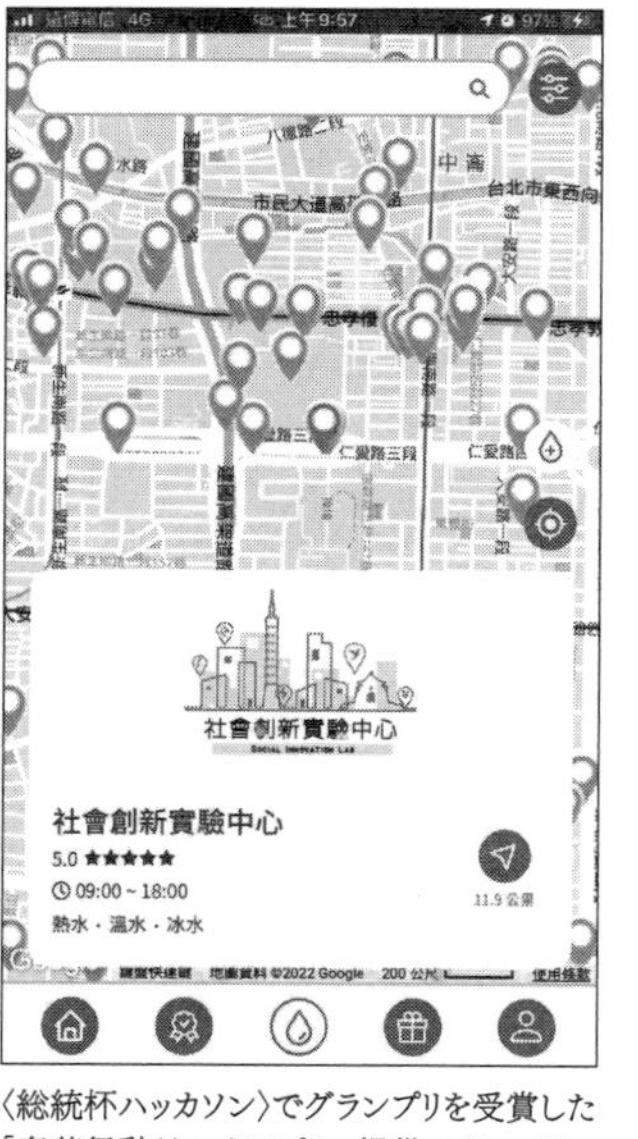

〈総統杯ハッカソン〉でグランプリを受賞した「奉茶行動」というアプリ。提供：CircuPlus奉茶行動

2021年11月までに台湾国内で8000を超える給水スポットが登録され、およそ19万人がアプリをダウンロードしています。約24万本のペットボトル削減に貢献できた計算です。現在は英語・日本語・韓国語・スペイン語版の

アプリ開発が計画されています。

私のオフィス（筆者注：次ページの写真参照）は、行政院の大臣執務室の他、「ソーシャルイノベーション」を推進するために設立した〈ソーシャルイノベーション・ラボ〉にもあります。この場所にも、「奉茶」に対応した給水機が設置されています。このラボがある場所は日本統治時代には台湾総督府工業研究所があったところで、その後は台湾の空軍司令部が置かれていたという歴史を持ち、現在は美しくリノベーションされています。「ソーシャルイノベーション」で社会に貢献しようとするスタートアップのメンバーなど、日々多くの人々が集まる、私にとって第二の家のような存在です。敷地内は一般開放されていますし、美術館なども併設されていますから、ぜひ日本からも遊びに来てみてくださいね。

台北市中心部にある〈ソーシャルイノベーション・ラボ〉には、政府側の組織だけでなく、ソーシャルイノベーションに関連したスタートアップのコワーキングオフィスや、イベントスペースなどが入っている。平日も夜遅くまで人の出入りが絶えない場所だ。筆者撮影

## 皆の社会参加が不可欠

台湾政府は、2021年にオランダに本拠地を置くNGOより〈SDGs〉の達成に向けて取り組む政府、民間、企業、個人を表彰する〈Catalyst 2030 Awards〉で、「国家・政府賞」を受賞しました。台湾の「ソーシャルイノベーション」領域における取り組みが評価されたことを、非常に光栄に思います。私はそのオンライン授賞式のスピーチで、「台湾の社会は民主主義を大切にし、オープンで、助け合いや言論の自由をコアバリューとしているからこそ、『ソーシャルイノベーション』が実現できる」とお話ししました。実際のところ、「ソーシャルイノベーション」の実施にはこうした皆の社会参加が不可欠です。

台湾では、日本の九州の面積ほどの島に、およそ2300万人が暮らしています。人口密度が世界でもトップレベルに高い上に、多様なエスニシティによって構成されていますので、「自分と、隣に居合わせた人が同じ価値観である」ということは、ほとんどあり得ないといってよい状況です。まぁ、それでなくても私は一人として自分と同じ価値観の人間を見たことがないのですが(笑)。そんな状況ですから、皆にとってよりよい社会を築いていくためには、さまざまな視点を持つ人々に参加してもらい、意見を伝えてもらわなければなりません。

でも、政府にそんな難しいことができるのでしょうか? 台湾がどのようにそれを実現しているか、一つ事例を紹介しましょう。2012年頃の台湾は、「政府が何かをしているようだが、国民には何をしているのかがよくわからず、自分たちは何をすればよいかわからない」といった状況でした。だから、多くの人々は「なぜ私たちがこんなに困っているのに、政府は興味がないんだ!」と憤っていました。

それを見かねた若者たちが集まって、シビックハッカーによるコミュニティ〈g0v(ガヴ・ゼロ)〉を作りました。私も設立当時から参加しています。

シビックハッカーとは社会問題の解決に取り組む民間のエンジニアのことですが、2021年11月時点で1万人を超えているこのコミュニティの参加メンバーのほとんどはエンジニアではありません。公務員、学生、非営利団体のスタッフ、一般企業で働く社会人、メディア関係者など、さまざまな人が集まり活動しています。自分たちの視点や発想をどんどん提案して、プロジェクトに貢献しているのです。

彼らのスローガンは**「なぜ誰もやらないんだと嘆くより、まずは自分がその〝誰もやらないうちの一人〟であるということを認めよう」**です。これは、創立メンバーの一人である:ipaが考え出しました(:ipaというのはコードネームです。このコミュニティでは皆がコードネームで呼び合うので、突然本名を言わなければならない場合でも、とっさには思い出せなくなったりします。ちなみに私のコードネームはauです)。

〈g0v〉は、「政府がうまくできないなら、自分たちが手本を見せよう」というスタンスをとっています。「自分たちの手本を見て、政府がもしいいなと思ったら、政府はそのままそれを使えばよい」と思っていますし、これまで何度もそのようなことが起きてきました。

先述した〈マスクマップ〉も、新型コロナウイルス感染症が見つかったばかりの頃、「マスクがどこにも売っていないじゃないか」と怒っている人を見た台南在住のメンバーが、「マスクはきちんとある。ただ、それが可視化されていないだけだ」と考え、徹夜で作ったのが始まりでした。彼がボランティアで作ったものを私が見つけて、その政府版を作ろうと呼びかけると、1000人以上のシビックハッカーたちが集まってくれました。おかげで、わずか3日間で政府バージョンの〈マスクマップ〉を完成させることができたんですよ。

私を含めた〈g0v〉のメンバーは何をするにもオープンソースで作りますから、この〈マスクマップ〉は後に他の国々でも使われていきました。前述した通り、私の仕事は、**すべての人が孤独に闘うのではなく、助け合えるよう「ソーシャルイノベーション」を用いて支援すること**です。自分の地域社会の問題を解決することができたら、その解決方法やそこに至るまでの過程をシェアすることもまた、非常に重要です。なぜなら、シェアされた方法や過程を知った別の場所の誰かも、自分たちの地域社会の問題を解決することができるからです。これが、第1章でご紹介したエリック・レイモンドの「ハッカーにとって大切な5つの心得」ですね。

## 自分一人で解決しようとしても永遠に一部分しか解決できない

〈g0v〉では、本名や年齢、性別も知らない、コードネームで呼び合うような人々と、社会問題の解決に当たっているというお話をしました。「ソーシャルイノベーション」において大切になるのは、「共通の価値観」でつながり、連帯していくことだと思います。社会問題とは誰かが解決してくれるのを待っていたり、自分一人で解決しようとしても永遠に一部分しか解決できません。**異なる能力を持っていたり異なる角度で物事を見る人が、自分とは異なる部分の問題を解決できる**のです。だからこそ、皆で分担して問題を解決するということが非常に大切です。そして解決方法をシェアしていくこともまた、とても大切です。こうした姿勢を「オープンイノベーション」と呼び、この姿勢で社会問題の解決に当たることを「ソーシャルイノベーション」といいます。

〈g0v〉は、2022年に設立10周年を迎えます。現在、政府のアドバイザーに就任しているメンバーもいます。10年前には政府に不満を持つことしかできなかった市民たちに、公共利益のために動き、政府に先んじて本来政府がすべき仕事を行うといった「シビックマインド」が生まれたのは、素晴らしいことだと思います。

## 台湾を変えた〈ひまわり学生運動〉

ただ、もともとこのような「シビックマインド」が台湾の市民たちに備わっていたかといえば、そういうわけでもありません。このような機運が高まったのは、2014年に起こった〈ひまわり学生運動〉の影響が大きいと思います。すでにご存じの方もいらっしゃると思いますが、あらためてここで説明をいたします。

当時の馬英九（ばえいきゅう）政権下で与党だった中国国民党が、台湾・中国間におけるサービス分野の市場を開放する〈サービス貿易協定〉の締結について、一切状況を国民に公開せず、協定締結後にはじめて締結したことを明らかにするという事態が起こりました。これは非常に多くの人々にかかわる大事な協定だったため、野党だけでなく多くの市民たちが大規模な抗議行動で不満を訴えました。名称に「学生」とあるものの、本当に数多くの人々、団体などが参加しました。インターネット上から参加していた人も多かったので正確に把握はできていませんが、その規模は35万人とも、50万人ともいわれ、1980年代以降の台湾における最大規模の学生・市民による抗議運動として記憶に残る大きな出来事となりました。

このデモはおよそ3週間にわたって対話が重ねられた後、最終的に当時の立法院長が国民たちの要求に応える形で収束しました。

この時、国民は発見したのです。そもそもデモとは、圧力や破壊行為ではなく、たくさんの人にさまざまな意見があることを示す行為だということ、政治は国民が参加するからこそ、前に進めるのだということを。

そういった意味で、この〈ひまわり学生運動〉は、行政をも巻き込む社会活動の展開に、現在に至るまで深く影響を及ぼしています。運動の主力となっていた多くの若者は痛みや熱い思いを体験し、改めて人生の進むべき道を決めていきました。実際、私がこうしてデジタル担当大臣として入閣することになったのも〈ひまわり学生運動〉がきっかけであったともいえますし、ヘヴィメタルバンド〈ソニック（Chthonic原名：閃靈樂團）〉のボーカル、林昶佐（フレディ・リム）は、2015年に仲間たちと新党〈時代力量〉を設立し（現在は離党）、翌2016年には立法委員選挙で当選。現在は立法委員（日本の国会議員に相当）として、国会のオープン化に取り組んでいます。

〈ひまわり学生運動〉は、私たちの世代だけでなく、上の世代にも大きな気づきをもたらしました。私をリバースメンターとして政府に引き入れてくれたジャクリーン・ツァイ前大臣は、「〈ひまわり学生運動〉で、私たちの世代は『次の世代の声を聞かなければならない』と思い知ったし、若者たちも『公共政策に参加したい』という思いを強めたと思います。それぞれの考えが違っても、攻撃するのではなく尊重し合うことが大事だと、皆がわかり始めています」と話されていました。

## 〈g0v〉に参加するシビックハッカーたち

〈ひまわり学生運動〉直後に〈g0v〉のメンバーがスタートさせたプロジェクトに、「政治献金デジタル化」というのがあります。

かつて台湾では、政治献金データは「監察院」院内のコンピュータでしか閲覧できないものでした。後に法改正によって有料で印刷できるようになると、馬英九元総統と６人の立法委員のすべての政治献金資料を印刷した有志らがそれをスキャンして、「どうにか活用できないか」と〈g0v〉に持ち込みました。〈g0v〉に２０１４年から参加しているロニー・ワンは、仲間たちと２６００枚以上もの資料を24時間以内にデジタルデータ化し、すぐにプラットフォーム上で公開しました。するとある地方自治体の市長選挙の際、当選した候補者がその後、「人事支出」の名目で４日間で数百人に少額を渡していたことが明るみに出るということがありました。このデータが国民にとって有効であることを認めた監察院は、政治献金法を部分改正し、２０１８年から所蔵データをプラットフォーム上で公開するようになりました。

そのロニーが、同じく〈g0v〉メンバーのアレン・リンと進めているのは、政治的な立場の違う人同士が対話をしようという「多粉對談（たくさんのファンと対話しよう）」です。もともとは２０２０年の台湾総統選挙の際に、海外在住の台湾人、文翔が発起人となってリアルイベントとして実施されたもので、世界的な問題になっている「社会の分断化」を個々人の取り組みで解消しようというものです。

２０１９年の8月に行われた1回目のイベントには６００人近くがエントリーし、「中国大陸との経済関係に力を注ぐべきか」「年金改革に賛成か」などの問題に対し、意見が対立する二人が相手の考えを聞き、感情的にならずに自分の考えを述べました。最終的には「これまで思っていた相手のイメージとまったく違って、共通認識が持てる部分もあった。これからもプライベートで対話を重ねていきたい」という参加者の感想も見られました。これに一般参加者として参加していたアレンは、これをデジタルで実施しようと〈g0v〉に持ち込み、ロニーとともにフェイスブックメッセンジャー

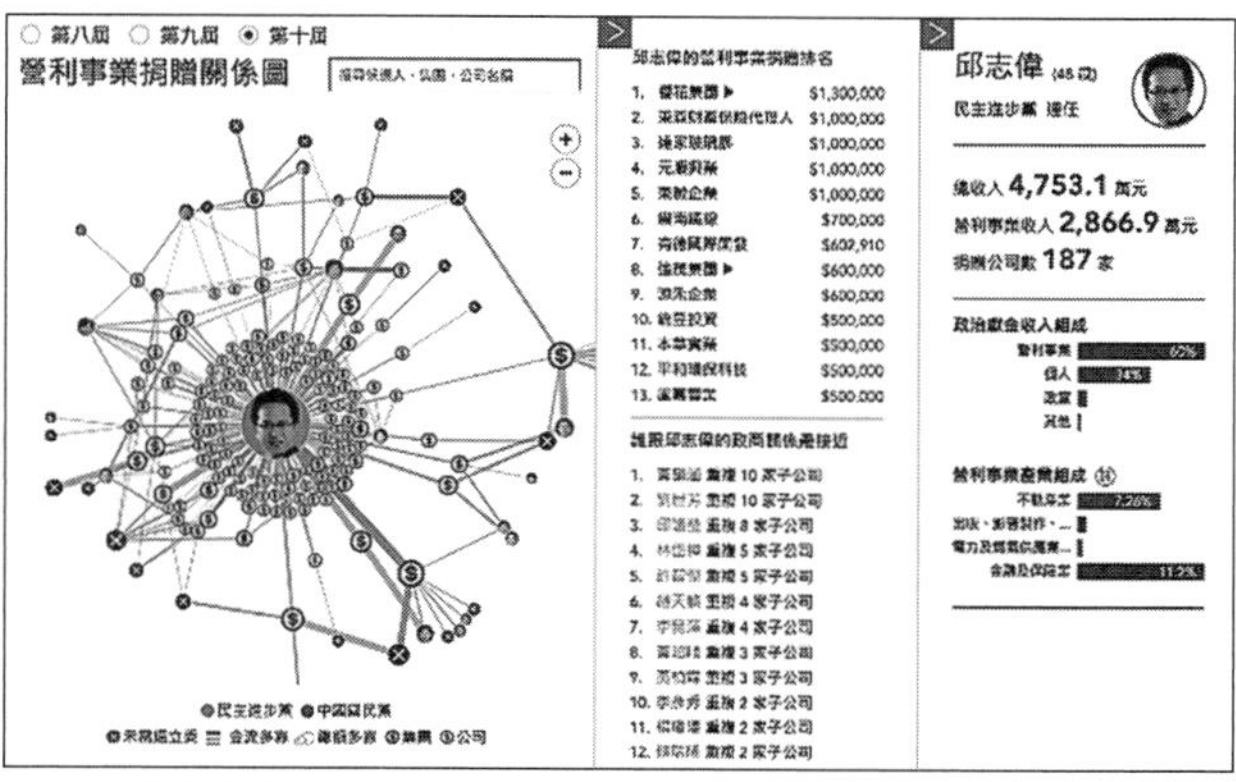


（上）：1984年生まれのロニー・ワン（右）と、1986年生まれのアレン・リン。ともにエンジニア。
（下）：「政治献金デジタル化」プラットフォームでは、国会議員一人ひとりの政治献金元企業（子会社・関連会社含む）や団体名、その額までが一目瞭然。献金元が合致する他の国会議員ランキングまで出る。

アプリを開発しています。

彼ら以外にも、たくさんのシビックハッカーらが自分の時間と能力を使って、自分たちの社会のために貢献し続けています。もともと台湾のシビックハッカーコミュニティの規模は世界でもトップ3に入るくらい大きなものでしたが、コロナ禍後、その参加人数はさらに増えています。

## 台湾で「ソーシャルイノベーション」に取り組む若者たち

台湾には、私の他にも「ソーシャルイノベーション」を実施している若者がたくさんいます。たとえば、私が副召集人を務めている〈行政院青年カウンセリング委員会〉は、選考によって選ばれた18歳以上35歳以下の若者たちが10人ほどいて、公共政策についてアドバイスを行うリバースメンターとして活動しています。この制度は2016年から続いていて、今は第3期のメンバーたちが活動しています。

この青年委員会のメンバーたちに共通しているのは「今までの慣例で考えれば、だ

〈行政院青年カウンセリング委員会〉第3期のメンバーたち。

いたいこうであろう」という見解に縛られていない点です。そのため、彼らからの提案は往々にして省庁を跨ぐ構造的な問題を明るみにします。

本当にさまざまな問題が提案されています。たとえば国際的なNGOが台湾に事務所を設立する際の手続きもそうです。これまで国際的なNGOの事務所はほとんどが香港にありましたが、その多くが台湾に拠点を移そうとしています。ところが台湾は国際的な企業の設立については経験が豊富なものの、国際的なNGOについてはほとんど経験がありません。外交部には専門の窓口や、ウェブサイトが必要です。今もあるにはあるのですが、英語で書かれたものがないので急いで作る必要がありますね。大部分の法律も英語版の用意がありません。彼らがインターン生を募集したり、クラウドファンディングを行うにはどうしたらいいかなど、できるだけ海外の皆さんに優しい環境を整えたいと思っています。こういった時代のニーズに応えようと、外交部も目下努力中です。

東アジアでは一般的に、歳を重ねているほどベテランであり、年下の意見は参考にするものであって、方向性を示すほどのものではないとされています。けれど台湾のオープンガバメントにおいてとても重要となったのは、35歳以下の若者が提案したものでした。実際の政治の現場においてそれを実行するのは専門性を持った公務員で、彼らは35歳以下ではありませんでしたが、それでも若者の意見を信じてくれたのは、簡単なことではなかったと思います。

## イノベーションに必要なのは「これまで見たことがないもの」を受け入れること

こうして見ていると、台湾はよい循環が生まれているように見えます。

では、こうした「共通の価値観のつながり」によって、「ソーシャルイノベーション」が生まれるために必要な要件とは何でしょうか？

私は、社会が自由で、これまでに見たことがないものでも、受け入れることができるということだと思います。

「イノベーション」とは「これまでに見たことがないもの」という意味ですから、社会がそれを受け入れられるということが必要になりますよね。たとえイノベーティブなアイディアを提案したとしても、何度も社会からそれを拒否されてしまうと、次第にそれを提案した人は「自分には他に貢献すべきことがあるのではないか」と考えるようになってしまいます。ですから、コミュニティに入ってきたばかりの新人や、初めて自分の考えを打ち明けた人に対して親切であることも大切です。そうした人を排除するということは、「私たちはイノベーションを歓迎しない」と言っているのと同じです。

ただ、この話と「保守的であること」はまた別の話です。ここで話しているのは人々が社会参加しやすいようにするということであって、**必ずしも「プログレッシブ（革新的）が良くてコンサバティブ（保守的）が悪い」ということではありません。**ＡＩやブロックチェーンのような新しいアイディアを提案する時に、人間の尊厳を脅かすことがないように考慮することや、社会の倫理を無視していないかといった確認は必要です。

第1章で「デジタル民主主義」のお話をした時にも出てきた感染症相談ダイヤル「１９２２」には、毎日本当にたくさんの問い合わせが寄せられます。

最近、アメリカのpodcastに出演した時、「台湾では、市民からの新型コロナウイルス感染症関連の意見を、中央感染症指揮センターへどのように伝えているのですか？」と聞かれました。

私が「何か考えがあったら、いつでも感染症相談ダイヤル『1922』に電話して伝えることができます」と答えると、「そんなにたくさんの言語によるメッセージを処理するには、大変先進的なAI技術が用いられているに違いない」と言われたので、「いいえ、とても思いやりにあふれたボランティアスタッフがみんなからの電話を受けています。2020年に受けた200万件以上の電話はすべてリアルな人間が受けており、すぐにかけてきた人の状況を確認していました」とお伝えしました。

相手は「そんなに大勢の人を、いったいどうやって集めたのですか?」と不思議そうでした。

私は「慈善事業団体など、災害からの復興を助ける活動を熱心に行う市民社会組織は、もとよりたくさんありました。政権がどのように入れ替わろうとも、こうした社会団体はずっと存在していますから、コロナ禍で相談ダイヤルに寄せられる相談件数が爆発的に増えた時、彼らが手伝いに来てくれました。アメリカにも教会などの組織はあるはずですが、なかなかこのようにしようとは思わないかもしれませんね。彼らへの認識や感謝の気持ちは世界共通でしょうが、台湾は少しばかりイノベーティブなのでしょう」とお伝えしました。

実際のところ、「1922」はもともと通信会社のカスタマー対応スタッフが対応してくれていたのですが、あまりにも問い合わせの数が多いので、「慈濟基金會」という慈善事業団体の社会部門チームがヘルプに入ってくれて、なんとかなったのです。台湾はコロナ禍でワクチンの調達に大変苦戦しましたが、この慈濟基金會や半導体製造会社のTSMCやホンハイなどが資金面で大きな援助をしてくれました。政府だけではなく、経済界や市民社会組織などが一丸となって社会を支えようとしてくれていることが証明されたと思います。

## 「ソーシャルイノベーション」を支える在り方・コミュニケーション

### 協業するためのコミュニケーションスキル

先ほど少しお話ししたように「ソーシャルイノベーション」を進めるためには、「共通の価値観」が必要です。

では、多様性にあふれる社会において、私たちはどのように「共通の価値観」を創造していけばよいのでしょうか。私は1996年にC to Cのオークションサイトを開発してから大臣になった今でも、すべての時間を「共通価値を創り上げる」ことの研究に充てています。

それはつまり、〝現実では人と人が知り合って協業するまでには時間がかかるのに対し、インターネット上では面識のない人々とでも共通の価値を見つけてともに実践することができる〟ということです。「協業すること」については、9歳でプログラミングを学び始め、コラボレーションツールを開発してきましたから、これらは本当に長きにわたる私の専門だといってもよいでしょう。

「価値観から相手を知る」という、私の好きな言葉があります。英語だと"I'd like to know you by your values, not by your types, classes or roles."ですね。新しく誰かと知り合う際、相手が心の中で大切にしていることを通して、相手の価値観を知る。性別や階級、役割などは環境とともに変わっていきますが、相手が何に対して貢献しているのかを大切にするという考えは、とても尊いと思います。

## アイディアを短い言葉で表現する

自分たちで何かしらのアイディアを提唱したい時には、短い言葉で表現するのがおすすめです。〝3つのF〟――「Fast（速さ）」「Fair（公平さ）」「Fun（楽しさ）」を意識して作ると、瞬く間にハッシュタグ「#」が付けられて、インターネット上で拡散されていくことでしょう。

その時に、間違うことを恐れないでください。インターネット上で大勢から注目を浴びる最善の方法は、間違った答えを提供することです。するとどこからともなく専門家が現れ、具体例を用いて修正してくれるでしょう。

私の好きなカナダのシンガーソングライター・詩人、レナード・コーエンの歌『Anthem』（アンセム：賛歌、祝歌という意味）に、〝There is a crack in everything. That's how the light gets in（すべてのものには裂け目がある　裂け目があるからこそ、そこから光が差し込むことができる）〟という一節があります。不完全なスケッチがなければ、私たちによりよい行いをするよう刺激してくれるものは何もないのです。

## 意見の合わない人とどう付き合うか

インターネット上で起こる意見の食い違いに苦しむ人は多いと聞きます。こうした分断から自由になるためのヒントをいくつかお話ししましょう。

台湾のインターネット上では、大きな討論が起こって、誰かが「ルールで管理することが必要なのではないか」と提起するたびに、「白色テロ[*3]の時代に戻ってはならない」と反対されます。白色テロの時代に戻りたいと思う人はほぼいませんから、やはり言論の自由は尊重しようという結論に落ち着きます。

たとえば、台湾には昔から使われている〈PTT〉という名前の大きなインターネット掲示板があり、「スレッド主」と呼ばれる人々がそれぞれのスレッドの規律をメンテナンスしています。スレッド主が行きすぎた行為をすると、いわゆる「そのエリアの長」や「掲示板の主」と呼ばれるような人々が対応します。その模様はすべて、厳格に透明性を保ちながら行われますので、一つひとつの決定は〈ＰＴＴ〉上に記録されます。このように、立法院などのいかなる司法システムにも頼ることなく、〈ＰＴＴ〉に参加する人々が持つ余暇の時間のみでそのガバナンスが発揮されており、それがとてもうまく効いていることがすでに証明されています。

台湾の〈ＰＴＴ〉であれアメリカの〈Ｒｅｄｄｉｔ〉であれ、参加者にとって居心地の悪い場所で、価値のある貢献が生まれるということはあり得ません。そういうわけで、大きなディスカッションの場所というものは、最後には自治権を持つように進化

＊3　白色テロ　１８９５～１９４５年までの50年間続いた日本統治時代が終わり、蒋介石率いる中国国民党が台湾を接収した後、中国から台湾に来た人（外省人）と、もともと台湾に住んでいた人（本省人）の間に対立が生まれ、１９４７年には〈二・二八事件〉が勃発。両者の対立が各都市で激化した。その流れで１９４９年から１９８７年までの38年間、台湾では戒厳令が敷かれ、為政者の政治的な敵対者とみなされた民主運動家や知識人、さらには一般民衆までもが暴力の対象となる〈白色テロ〉が横行した。問答無用で急に連行され、拷問され、時には投獄、処刑される者もいた。その多くが冤罪だったことをずっと後になって政府が認め、謝罪しているが、正確な犠牲者を示す資料は残っていないとされる。その恐怖は台湾人のＤＮＡに染み込み、平和な世となった現代でさえ、ほんの数十年前まで一般家庭で〈白色テロ〉を話題にすることははばかられていた。

していくのだと思います。
もしインターネットのプラットフォーム上で意見の分断が起こっていて、あなたにも何らかの意見がある場合には、そのプラットフォームとはまた別の、どこかあなたに適した場所で意見を発信してみてはいかがでしょうか？　ブログのような場所であれば、「あなたが一言発すると、他の誰かが直ちに一言返す」というような状況にはなりません。訪れた人が、まずはあなたの文章を読んでからコメントを残すような場所であればよいのです。人と人の間がより親密であるか、衝突するかを決めるのはそれぞれの空間であって、人ではないのです。

もう一つ、インターネット上の公開された場所で起こりやすいのが、「ネット上での暴露」をきっかけにした炎上だと思います。お店でのサービスにせよ人の行為にせよ、何らかのミスがあった時にそれを直接ネット上で指摘され、集中攻撃に遭うようなことは台湾でも頻繁に起こっています。こうなると社会的にも大きな歪みが残りますし、集中攻撃に遭った方は大きな傷を負うことになりますね。

インターネット上の公開された場所で自分のミスを指摘された場合でも、「ご指摘ありがとうございます」と言いながら、その後に自分たちが行った対応の内容をすべて公開すれば、それ以降に何か問題が起きることはほとんどないはずです。

ですから大切なのは、指摘する側が相手に対応できるだけの時間を与えるということではないでしょうか。

普段、私たちがウェブサービスで何かしらの欠点を見つけた時には、相手に一定の作業時間を与えたうえで、修正してもらいたいと伝えます。たとえばその期間が1か月だったとして、相手がその期間内に対応してくれない場合は、やむを得ずインターネット上の公開された場でその欠点を指摘します。そのウェブサービスの利用者を保護するために仕方なくそうしています。でも相手が修正作業をしているのであれば、こちらが指定した期限に関係なく、作業が終わるのを待つことができます。そうすれば彼ら自身も「これこれこういった問題を解決しました」と自分の口で説明することができますし、そのサービスの利用者にもさらなる損失を与えずに済みますから、それが最もよい形ですよね。

ですので、こうした「ネット上での暴露」とは、まず非公開の場で相手にそうした状況がある旨を指摘し、相手が反応するまでの合理的な時間を与え、それでも先方が相手にしてくれなかった場合にのみ、申し訳ないけれどする行為なのかなと思います。

指摘する側も、もし相手に何らかの過失があったとしても、「相手が故意にやっている」とは思わないことです。実際、ほとんどのミスは故意でなく過失によって起こりますが、それを他人が区別するのはほとんど不可能ですよね？　だからこそ、相手に時間を与えて直してもらえるよう願い出るのです。過失で起こったミスであれば相手はきっと対応してくれるでしょう。もし指摘しても相手にしてもらえないのであれば、それは故意によるものだったのかもしれませんね。

## 共通の価値観を築くには、事実を共有することが大事

取材者が、日本の地方議会議員が「ＬＧＢＴＱといった人々を法律で保護すると、

日本は滅亡する」と発言し、大変な社会問題になったことを教えてくれました。おそらくそういったことではますます少子化が進み、その自治体が滅亡してしまうことを危惧されての発言だったようです。取材者は「見ている世界がまったく異なる相手と、私たちはどのように『共通の価値観』を創り上げていけばよいのか」を知りたいとのことでした。

そうですね、もし〝人々が子どもを産まなくなること〟を心配しているのであれば、それはＬＧＢＴＱに限ったことではなく、一般の人々も同じです。台湾で子どもを産まない選択をしている人々の中には、ＬＧＢＴＱに関係なく、温暖化が進んで暮らしにくくなっていく地球で産まれた子どもは辛い思いをすることになるからと考える人も、一定数存在します。

それに、二人のレズビアンが生物学的に子どもを持つことは、必ずしも不可能ではなくなるかもしれません。生殖医療はどんどん進歩していて、将来的にはどのような人間の皮膚細胞からでも、精子や卵子を作ることができるようになります。ですから、こうした心配は次第に必要なくなっていくでしょう。どのようなパートナーを持つ人であっても、子どもを持ちたいと思う人も、持ちたくないと思う人もいて、同性愛者だからといってその比率が多いとか少ないといったことはないのではないでしょうか。

おそらくこの地方議会議員の方は、子どもを持ちたいと思ったとしても、同性愛者全員がそうできるわけではないことを指摘したいだけだったのだと思います。私がこのような考え方を聞いた時にいつもまず行うのは、生殖医学の進歩についての知識の共有と、養子縁組や国を跨いだ扶養など、人口の減少を緩和するさまざまな方法があるのではないでしょうかと伝えることです。ここには対話の余地がありますよね。

この時に重要なのは、価値観の共有だけではなく、**事実を共有すること**です。人口の減少は客観的な事実ですが、異性愛者だけが子どもを育てることができるわけではないということもまた、客観的な事実です。お互いに客観的な状況を理解し合った上で、そこに共通の価値観を築くことが大事です。

## 携帯電話があれば誰でも社会に参加できる

### 「私が投票しなかったら落選していたかもしれない！」

ここまで、社会に対して疑問を感じた時、どんなアクションを起こせるかについてお話ししてきました。最後にもう一つ、投票という社会参加についても触れてみたいと思います。

もちろん、投票とは重要な権利の一つですが、年齢や国籍などによって投票権を持たない人も社会には存在します。日本ではせっかく投票権を持っているのに「自分が投票してもしなくても、結果は同じなのではないだろうか」と考えてしまう人も多いと聞きます。

台湾の投票率は高く、特に20代の投票率[*4]は2020年の総統選挙で89・63％だったという分析もあります。自分たちが投票権を行使し政権を選ぶことで、社会が変わってきたことを実感できているからかもしれません。人々は投票した後にも当選者のことをしっかり見張り、監督していますので、当選者が少しでもおかしなことをすると、すぐに公職から降ろされることになります。また台湾人が選挙権を得られるようになったのはこの数十年のことで、それまでは選択権さえ与えられていませんでした（直接公選制の制度自体がなかった）から、選挙がとても大切な権利であると理解しているのかもしれません。

私自身が選挙の1票の重みを感じたのは、20歳の頃です。「里長」という、日本の町内会長のような立場の人を決めるための選挙が行われました。当時、私は仕事をしていましたし、投票所と私が住んでいたエリアは少し離れていましたが、仕事を休み、わざわざ投票所まで出向いて投票しました。すると、私が票を入れた候補者が1票差で当選したのです。

選挙において、このように「自分が票を入れたことが有効である」と、有権者が感じることはとても大切ですね。

それと同じくらい大切なのが、投票権がない人でも意見を反映させられるような仕組みをたくさん作っていくことではないでしょうか。難易度の高い議題についての投票だけでなく、簡単な議題も用意することで、皆が参加しやすいようにハードルを下げることも大切です。頻繁に自らの票を投じるような習慣を作ることです。

私は、台湾の民主主義をより深めていきたいと考えています。4年に一度の選挙とは、選挙権を持つ市民が一人当たり3ビットの情報をアップロードするようなものです。現代は選挙権の有無にかかわらず、誰もが毎日何メガバイトもの情報をやりとりしている時代です。その時代に合わせたアップデートが必要ですよね。そうでないと、皆が社会は自分たちが創るものだという実感を持てなくなってしまうでしょう。

＊4　20代の投票率　國立政治大學選舉研究中心の推計として、朝日新聞「20代の投票率、台湾では約9割？　若者と政治の距離が縮まるまで」に掲載。https://digital.asahi.com/articles/ASPBC362DP9ZUHBI014.html

## 携帯電話を持ちさえすれば社会に参加できる時代に

これまでは、学業を終えて社会に出ないと社会貢献ができないと思われていました。でも今は違います。今は誰でも携帯電話を持ちさえすれば社会に出ることができます。つまり社会の誰かに対して影響力を発揮できるということです。

私が15歳で起業した当時、周囲は普通ではないと思ったようですが、今は15歳くらいで大きな社会運動を起こす人だっています。グレタ・トゥーンベリさん（スウェーデンの環境活動家）が金曜日に学校へ行かず街頭で抗議しているのも、皆、普通に受け入れていますよね。最も大きな変化はインターネットの普及だと思います。

これは「ソーシャルイノベーション」にも大きく関係してきます。たとえば18歳以下の若者たちに投票権がないからといって、〈SDGs〉の問題解決に彼らの意見が取り入れられないのはアンフェアです。気候変動にしても、最も影響を受けるのは18歳以下の彼らなのですから、彼らの意見が私たちより重要視されて当然なわけです。

投票権がないから彼らの意見が重要ではない、そんな考えはあってはなりません。

台湾には、選挙権の有無にかかわらず、メールアドレスと台湾の電話番号さえあれば政策に対する意見を投稿できる、〈Ｊｏｉｎ〉という名前のプラットフォームがあります。これは政府によって運営されており、投稿された意見に対して60日以内に5000人以上の賛同が集まれば、政府が対応することになっています。私も入閣する前から政府のリバースメンターとして設立にかかわりました。すでに台湾の人口の半数ほどのサイト訪問数があり、台湾ではかなり浸透しています。

興味深いことに、この〈Ｊｏｉｎ〉で最もアクティブなのが15歳前後と65歳前後です。彼らは比較的時間に余裕があるだけでなく、社会に対する意識が高いことが見てとれます。

台湾では2019年の7月から、大型チェーン店のイートインにおけるプラスチックストローの使用が禁止されていますが、それもこの〈Ｊｏｉｎ〉に寄せられた16歳

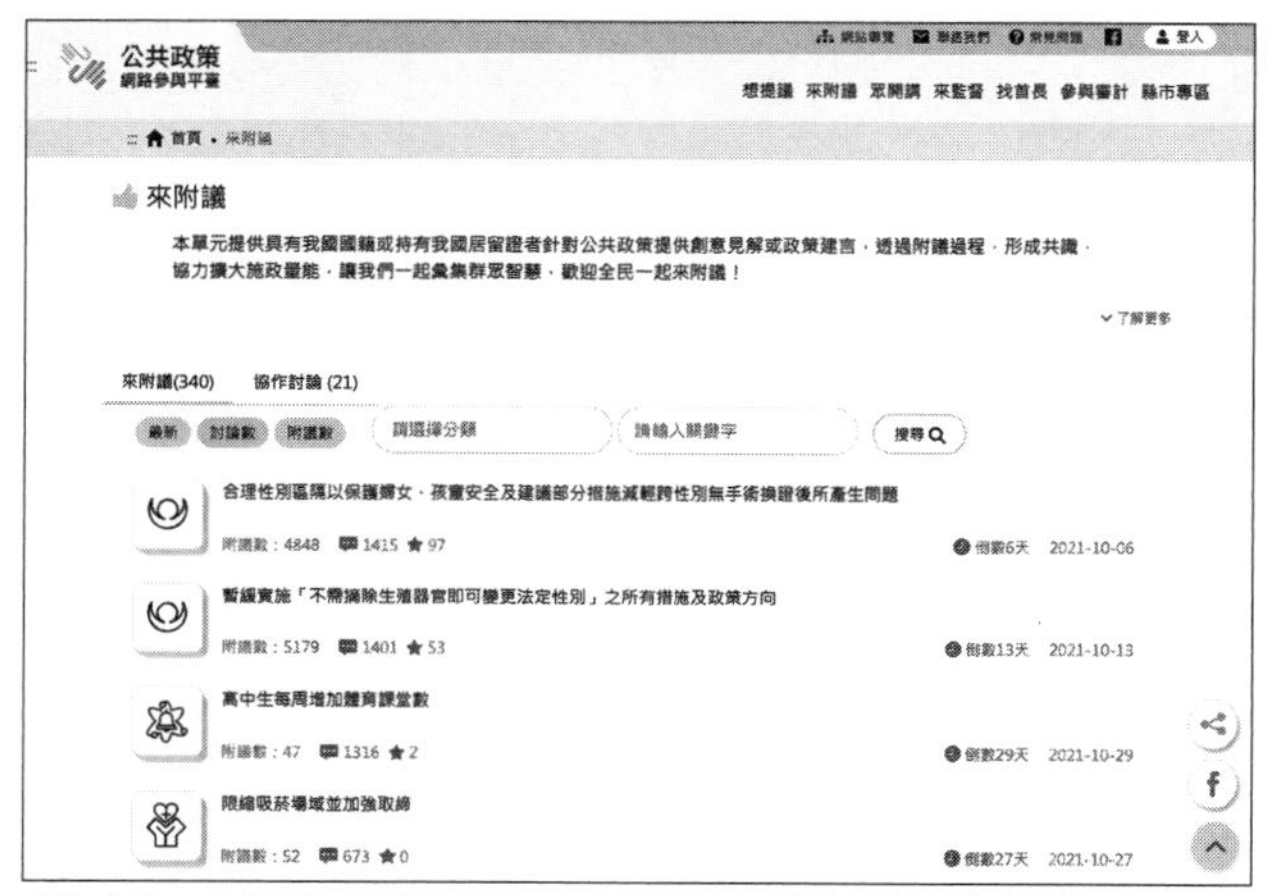

プラットフォーム「Ｊｏｉｎ」に寄せられている市民からの提案。「性別適合手術をした人に関しては、身分証の性別欄も変更してほしい」「中高生の体育の授業数を増やしてほしい」など、幅広い提案が寄せられている。出典：https://join.gov.tw/idea/index

の女子高校生からの意見がきっかけでした。彼女は台湾のタピオカミルクティーが世界的に有名でありながら、そのためにプラスチックストローが大量に消費され、環境に悪い影響を与えることに警笛を鳴らしたのです。

〈Ｊｏｉｎ〉には市民からの提案の他にも、政府が進めるすべての政策について、予算や進度といった情報を公開する機能もあり、随時更新されています。国民は投票によって政治を任せた後にも、政策がしっかり実行に移されているかを監督することができるのです。

## 誰も取り残さない社会を創る

ここでは、私が政府の中で、誰も取り残さない「インクルーシブ（inclusive、包括的）な社会」を実現するために行っていることについてお話ししましょう。

先ほどお話ししたような年齢による選挙権の有無の他にも、さまざまな要因で社会参加の機会を奪われてしまっている人々がいます。

台湾の伝統的な公務は漢字や中国語ベースで成り立っています。ところが、台湾は多民族国家ですから、政府が認めるだけで20もの言語が存在していますし、海外からの移民数も年々増加していきます。つまり、このままでは母語が中国語ではない方々を取り残してしまっていることになります。

そんな時に力を発揮してくれるのが、デジタルの「アーカイブ」という特性です。議事録をインターネット上にアーカイブしておけば、母語が中国語ではない人でも、後から都合のよい時にゆっくり読むことができます。キーワードによる検索もできますね。また、「声が小さい人の意見もフラットに見えるようになる」という特性もあります。会議などの現場でうまく意見が伝えられない人も、プラットフォーム上であれば、翻訳ソフトを使うなどして自分のペースで内容を確認することができますし、意見を言う時にも、ゆっくり文字を打つことができます。

また、デジタルを活用すれば、これまでリアルの会議では難しかった遠隔地や山岳地などで暮らす人々も参加しやすくなるといったメリットがあります。台湾では、5G（高速大容量、低遅延、同時多数接続などを特徴とする第5世代移動通信システム）の通信基地の設置を山岳地や離島から行っています。設備投資の費用は光ファイバーの10倍ほどかかるのに対し、そういった場所に5Gを設置しても光ファイバーほどの速さしか確保することはできませんが、リモートによる医療や教育など、山岳地や離島と

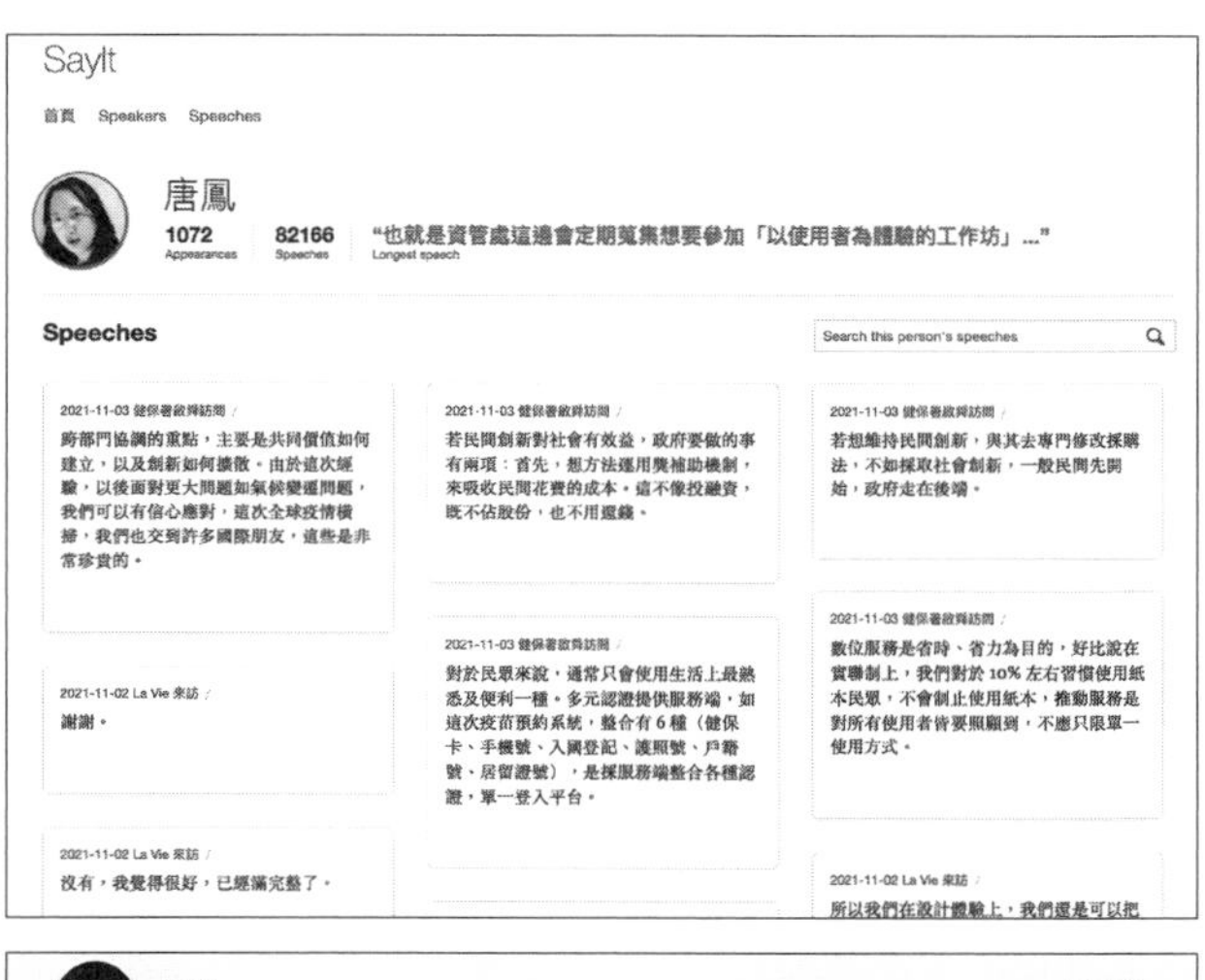


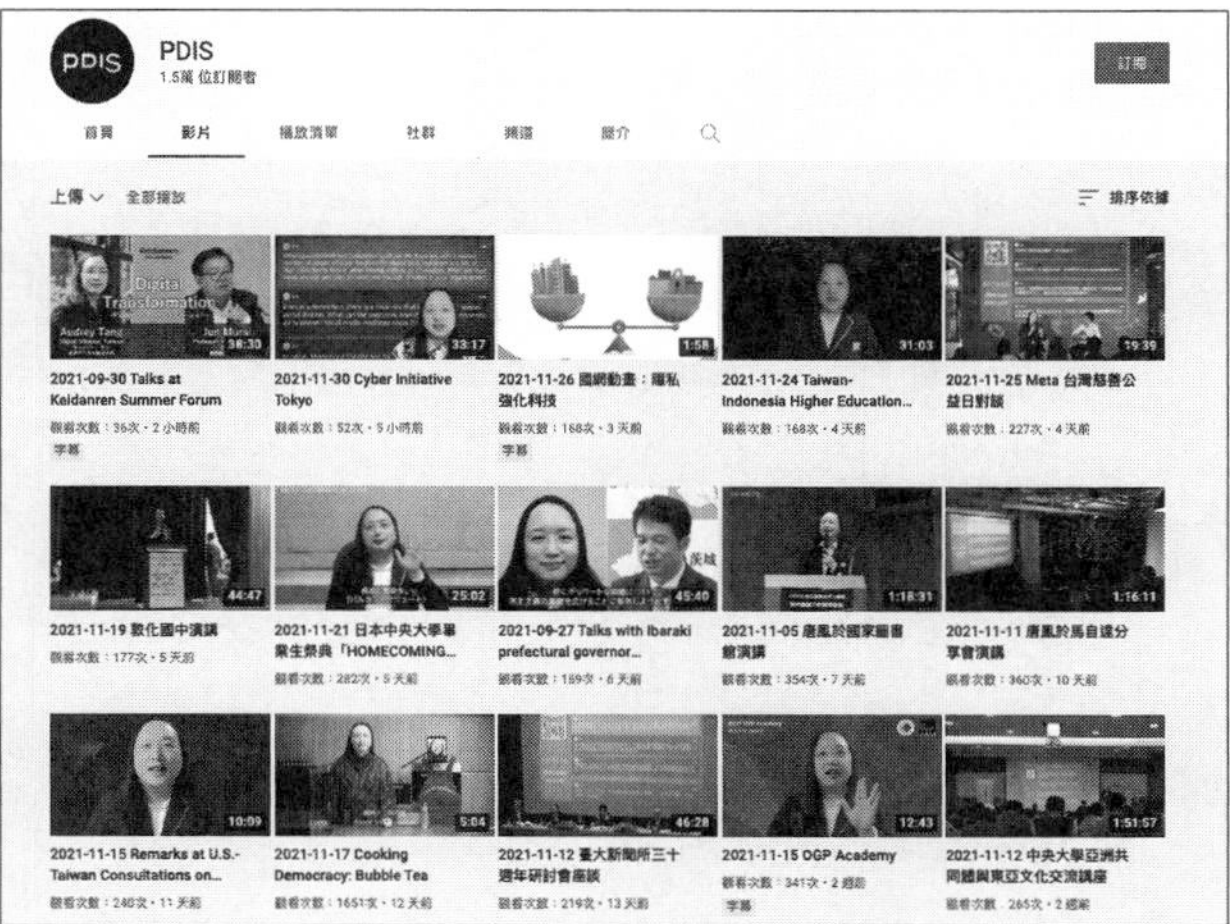


オードリーが参加した会議や取材は、すべて議事録または動画で記録がとられ、アーカイブがインターネット上で公開されている。出典：議事録 https://sayit.pdis.nat.gov.tw/speaker/audrey-tang-2　動画 PDISのYouTubeチャンネル

いった場所ほど強く必要されていることを実現するためには、ネット環境がよくない場所から導入されることが必要なのです。

こうした「誰も取り残さない社会」こそが、「ソーシャルイノベーション」の礎となっていくことでしょう。

## 「ソーシャルイノベーション」は地方にこそ必要

5Gがあれば〝都市〟という概念はもう必要なくなるかもしれませんし、「ソーシャルイノベーション」が起こっている現場は台北だけとは限りません。「行政院に来てください」とお願いすると、時間的または費用的な兼ね合いから代表メンバーしか来られなくなりますが、私たちが赴けば、すべての人々と会うことができます。

そうした考えから、私たちPDISのメンバーは2017年9月から「巡回座談会」と称して各地方へ頻繁に出かけています。2020年、コロナ禍で実施が難しくなったものの、21年の11月時点で累計31回の座談会を実施し、484名が参加しています。

座談会の様子は、同時に台北・桃園・台中・台東・高雄といった各地方都市の拠点とつないでライブ配信され、質疑応答などのコミュニケーションが図られています。

この「巡回座談会」を含む私たちの「ソーシャルイノベーション」関連の取り組みは、〈ソーシャルイノベーション・プラットフォーム〉上で常に更新されています。

地方では、ソーシャルイノベーションが必要な問題は都市部より多岐にわたります。どうやったら各種の木の葉を安全な食材にできるか？ 私有の古い建築物をどのように保存したらいいか？など、さまざまな知識を必要とするので、当事者だけで解決するのは難しいですし、かといって私一人でこれらのすべてを細部まで把握するのは不可能なことです。ここで上がった問題については各省庁の協力のもと、担当者から回答してもらっています。

〈ソーシャルイノベーション・プラットフォーム〉には、台湾中のさまざまなソーシャルイノベーターたちの取り組みが掲載されています。私もここを見て、社会に貢

(上)：PDIS「2019-01-09 屏東春遊小旅行」
(左)：〈ソーシャルイノベーション・プラットフォーム〉

オードリーが愛用しているセットアップは、彼女のいとこでパリ在住のファッションデザイナー・唐宗謙(タンゾオンチェン)がオーダーメイドでデザインしたもの。コーヒーかすなどを再利用して作られる、台湾企業が開発したサステナブルで高機能な繊維が採用されている。筆者撮影

献しているものを優先して何かを買ったりすることもあります。

## オープンにすればするほど、政府と市民が近づく

さまざまな人が社会にかかわり「ソーシャルイノベーション」を起こしていくためには、政府が開かれていることも重要ですね。政府が何をしようとしているか、何をしてきたか、政府の情報を公開することで、政府と市民はともに連帯することができるのです。台湾では「政府オープンデータプラットフォーム」上であらゆるデータが公開されていますし、市民から特定のデータのオープン化をリクエストすることもできます。

これを管轄している国家発展委員会によれば、台湾は2012年11月からオープンデータ政策を開始して、2020年12月までに5万件近いデータセットを公開してきたそうです。ただ、彼らは資料の公開数をKPIにしているわけではなく、その品質——**本当に市民たちが必要としている資料を公開できているか**といった意味ですね

——を高めるべく努めてくれています。

また、このプラットフォームには市民が公開を必要とする情報について政府にアドバイスを行う「もっと知りたい」というコンテンツがあります。市民がもっと理解したいと提議した資料について、担当の機関はプラットフォーム上で回答することが決められています。たとえば、近隣で新たな交通計画や学校の計画がスタートしているなら、その進捗の情報などは知りたいですし、「医療費が高いのではないか」と思ったら、意見を伝えるためにも正確なデータは必要ですよね。そうしたニーズに応えてくれるプラットフォームです。

回答においては、市民が知りたい情報はすでに公開されているか、それともこれから公開されようとしているのか、公開される予定なのであれば、その時期はいつなのかといったことを明らかにするようにルール化されており、公開できない情報については、その具体的な理由も明記する必要があります。

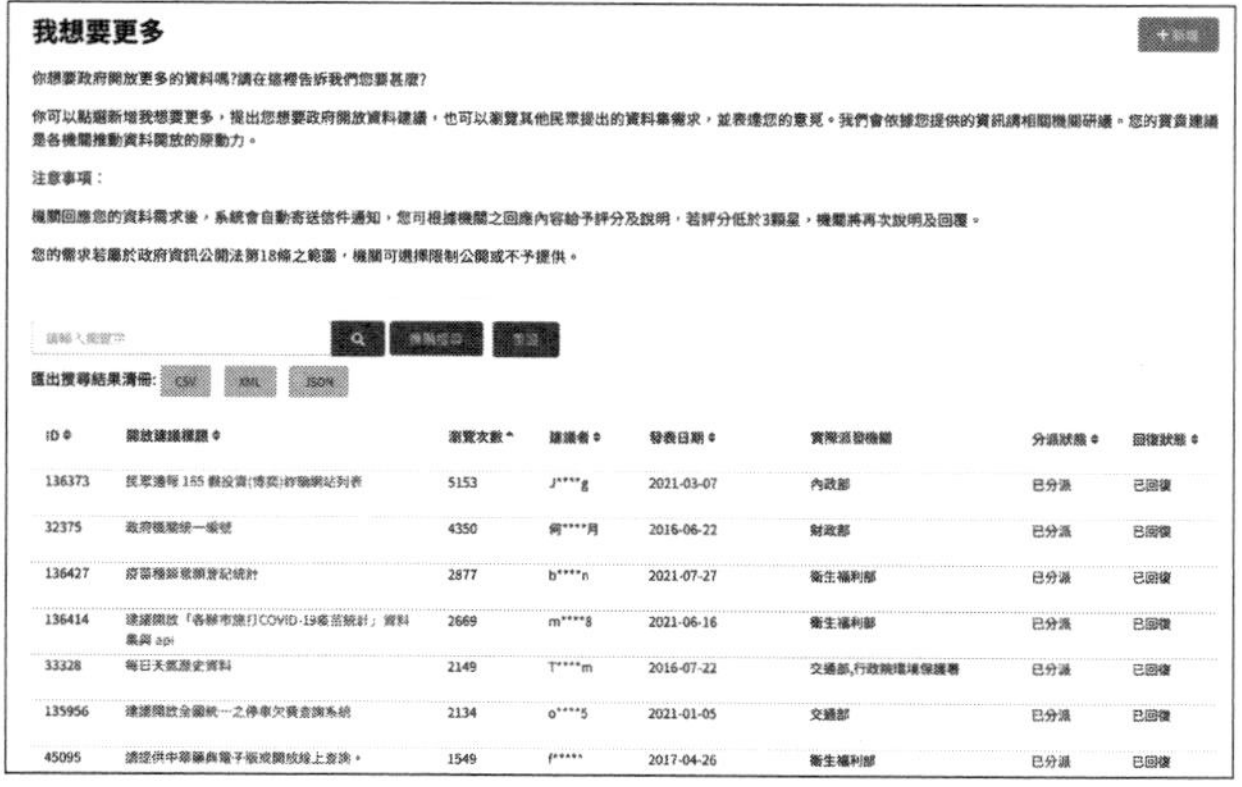


（上）：「政府オープンデータプラットフォーム（data.gov.tw）」では、「出生と養子縁組」「求職と就業」「選挙と投票」など、暮らしにかかわるあらゆるデータが公開されている。
（下）：「もっと知りたい」というコンテンツでは、新型コロナウイルス感染症のワクチン接種に関する統計から、毎日の天気のデータなど、さまざまなデータのリクエストが行われていた。

こうした要求に応えて政府が公開したデータは、2020年を例にすると「バス路線の情報データ」、「台湾の鉄道路線」、「高等教育深耕計画のための基金承認」、「市民の医療経費全額自己負担の状況／市民の医療経費差額の自己負担についての状況」などがあります。生活に密着したものばかりですね。

第1章で「オープンガバメント」には4つの段階があるとお伝えしましたが、そのどれもが欠けてはなりません。私たちは国際的な「オープンガバメント」の団体〈OGP（Open Government Partnership）〉にいまだ参加が認められていませんが、それでも彼らとお互いに学び、経験をシェアしながら、国際的な水準に近づけようと努力を続けてきました。

## 言論や報道の自由と、フェイクニュースの問題

台湾は「アジアで最も社会が開かれている」というデータがあります。そして一方

では、インターネット上に飛び交うフェイクインフォメーションを抑えています。これらを両立することは、決してたやすいことではありません。言論や報道の自由を守りながらも、フェイクインフォメーションをコントロールできていることは、私たちにとっての誇りです。

フェイクインフォメーションはよく、フェイクニュースと同じ意味のように捉えられることがありますが、台湾ではフェイクニュースには二つの解釈があります。

一つはメディアやジャーナリストの過失による誤報、二つ目は故意に捏造された偽情報です（メディアが書いた正しい報道が、他のメディアに転載された時にタイトルだけ変えられて、意図的な印象操作のようなことが行われることもあります）。

フェイクインフォメーションはそのうちの後者を指し、台湾で今一番問題視されています。行政院では、フェイクインフォメーションのうち、「故意・危害・虚偽」の三つの条件が揃った場合にはすぐ対応することになっています。情報が確認されると、各省庁に設置されたフェイクインフォメーションに対応する〈即時対策チーム〉が、60分以内にカウンターとして正しい情報を発信します。その情報発信にはわかりやすさを担保するための「2・2・2の原則」が適用されていて、見出しは20文字以内、写真・図版は2点、本文は200文字でコンテンツを作りましょうというガイドラインがあります。

でも、私は「正しい情報」というだけでは、多くの人は見てくれないかもしれないと思っているのです。さらに、コンテンツにはユーモアがなくてはいけません。ユーモアは怒りと同じくらい拡散されやすく、かつ、怒りより共有する満足度が高いからです。このような要件を満たしたコンテンツを60分以内にまとめるためには、高いスキルの人材が各省庁に5、6人は必要になってきます。ごくたまに、このチームの予算が高いという批判もありますが、私は仕方のないことだと思います。

逆に「故意・危害・虚偽」の三つが揃わないフェイクインフォメーションであれば、行政院は介入しないことになっています。もし介入してしまうと、政府の干渉が報道の上に位置し、報道の自由を侵害することになりますからね。

また、政府だけでなく、民間でもフェイクインフォメーション対策を続けるシビックハッカーたちがいます。〈g0v〉のメンバーが長年の間運用し、現在台湾で20万人以上が利用している〈Cofacts 真的假的〉というプロジェクトで、流れてきたフェイクインフォメーションをLINEかウェブサイト上に入力するだけで、彼らのデータベースと照合され、それがフェイクインフォメーションなのかどうかを教えてくれるというものです。このように政府と民間の両方でフェイクインフォメーションに取り組むこともまた、非常に重要です。

それらと同時に、一人ひとりが「そのデータがどのようにして出てきたのか」という視点を持つことも大事ですね。「データガバナンス」とも呼ばれます。目にしたデータをすぐに信じないようにすることも大切です。

本来は違う用途に使われていたデータを、無理に他の目的で使うようなことをする

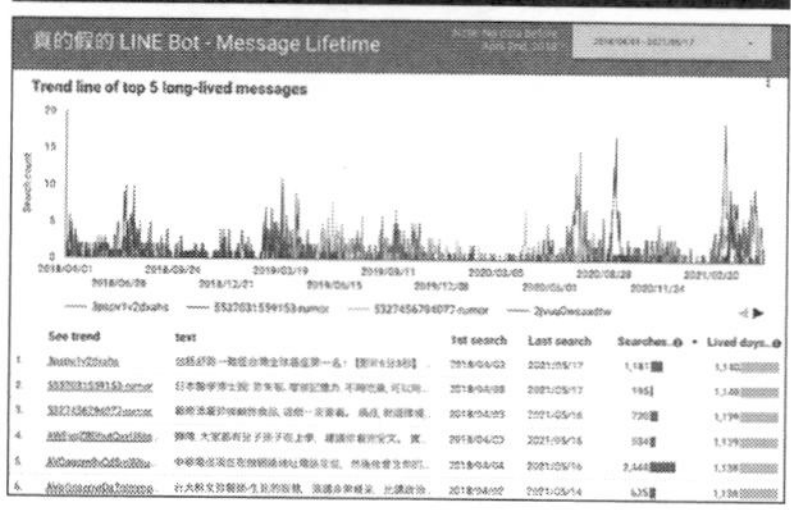


〈Cofacts 真的假的〉を運営する〈g0v〉のメンバー（筆者撮影）と〈Cofacts 真的假的〉のインターフェース。アクセス解析情報も公開されていて、今どのようなフェイクインフォメーションに注目が高まっているかが見て取れる。さまざまな資料が公開されている他、オープンソースで開発されているため、タイでも使われている。

と、データの品質問題が起きてしまいます。また、限られた一部の人々の間でだけ使われているデータは、偏見が入っているかもしれません。

最近話題になることの多い「データドリブン（データ駆動。ビッグデータなど、取得したデータを分析して意思決定などに役立てること）」ですが、台湾では「そもそものデータを集めた人、集められてデータにされた人は、そのデータがどのように使われるのかを知っていたのか？」ということを重視しています。第1章でお話しした〝警笛を鳴らす人〟のように、「このデータを使うことに問題があるのなら、使うべきではない」ということがクリアになってはじめて「データドリブン」を語ることができるのです。**まず駆動するべきはデータであり、データによって私たちが駆動されてはならないのです。**

## 自分自身をオープンにする

最後に、私自身について話しておきましょう。

オードリーのオフィス「PDIS」のウェブサイトでは、メンバーの連絡先が公開されている。出典：https://pdis.nat.gov.tw/zh-TW/contact/

私は、いつも自分自身をオープンにしています。これは私が20年ほど前に世界中で広がったオープンソース運動にかかわってきたことと深い関係があるのですが、オープンオフィスや議事録の公開のほか、メールアドレスも公開しています。よく日本の皆さんから驚かれるのですが、私にとってこれはごく自然なことなのです。

「メールがたくさん届いたら大変じゃないか」と心配いただくこともありますが、私は〈ポモドーロ・テクニック〉を取り入れて仕事をしていて、25分に1度、5分ほどの短い休憩を取ります。見たらすぐ返信しているので、連絡もそこまで溜まりません。

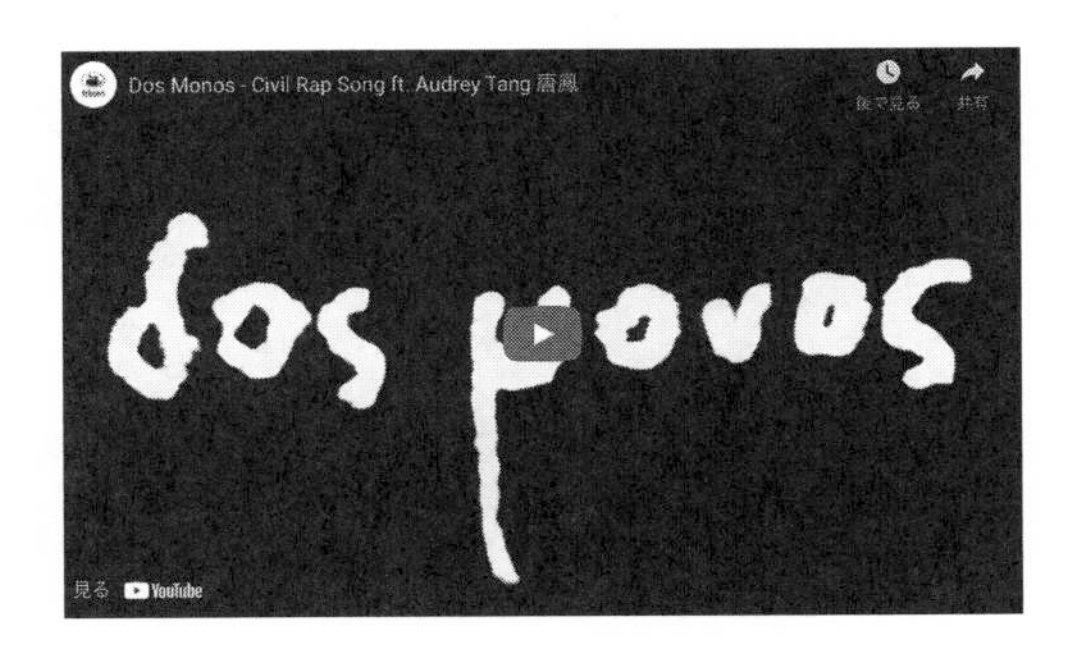

（上）：日本のヒップホップユニット「Dos Monos」が、オードリーの音声をサンプリングして創作した楽曲「Dos Monos- Civil Rap Song ft. Audrey Tang 唐鳳」（ディレクションは黒鳥社）。
（下）：客家委員会が二次創作し、フェイスブック上でシェアした投稿はそのユニークさで話題になり、これまでに2万回近くシェアされている。

もちろん、広告メールなど自分が貢献できないと思うものには返信しません。

そして、プロのフォトグラファーたちが撮ってくれた私の写真の多くを、インターネット上でクリエイティブ・コモンズの条件つきで公開しています。台湾では、私の写真に文字や背景を当てて創作されたバナーなどが日常的に飛び交っていますし、日本のヒップホップミュージシャンが私の音声を使って音楽を作ってくれたこともあります。

このほか、取材や講義の記録もすべて議事録または動画でインターネット上に公開していて、誰でも引用できるようにしています。それを元に本を書いたり、メディアに寄稿するジャーナリストもいます。私自身が公共のメディアであり、素材集でもあります。どのように使いたいかは、皆さんに委ねています。

# 第3章
# 世界と私たちの未来

## 世界が連帯して未来を創る時代

２０２０年初頭から始まったコロナ禍では、それぞれの国が単独でロックダウンしてもウイルスを根絶させることはできないし、他国との往来を長時間絶つことも現実的に不可能だという状況に追いこまれました。これらの苦しみを通じて「これからは世界中が連帯して未来を創っていくことが必要なのだ」と、人々が実感したと思います。まるで世界中が急にご近所さんになったような感覚ですよね。

今、世界で最も多くの人々が連帯して挑んでいるテーマが、国連が掲げる〈ＳＤＧｓ（持続可能な開発目標）〉の達成です。２０１５年の国連サミットで合意された、２０３０年までに持続可能（サステナブル）でよりよい世界を目指すための国際目標で、「誰

SUSTAINABLE DEVELOPMENT GOALS

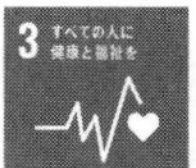

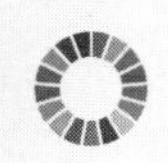

## 〈SDGs（持続可能な開発目標）〉の詳細

（出典：外務省編集・発行「持続可能な開発目標（SDGs）と日本の取組」）

**目標1**　[貧困] あらゆる場所あらゆる形態の貧困を終わらせる

**目標2**　[飢餓] 飢餓を終わらせ、食料安全保障及び栄養の改善を実現し、持続可能な農業を促進する

**目標3**　[保健] あらゆる年齢のすべての人々の健康的な生活を確保し、福祉を促進する

**目標4**　[教育] すべての人に包摂的かつ公正な質の高い教育を確保し、生涯学習の機会を促進する

**目標5**　[ジェンダー] ジェンダー平等を達成し、すべての女性及び女児のエンパワーメントを行う

**目標6**　[水・衛生] すべての人々の水と衛生の利用可能性と持続可能な管理を確保する

**目標7**　[エネルギー] すべての人々の、安価かつ信頼できる持続可能な近代的なエネルギーへのアクセスを確保する

**目標８**　［経済成長と雇用］包摂的かつ持続可能な経済成長及びすべての人々の完全かつ生産的な雇用と働きがいのある人間らしい雇用（ディーセント・ワーク）を促進する

**目標９**　［インフラ、産業化、イノベーション］強靱（レジリエント）なインフラ構築、包摂的かつ持続可能な産業化の促進及びイノベーションの推進を図る

**目標10**　［不平等］国内及び各国家間の不平等を是正する

**目標11**　［持続可能な都市］包摂的で安全かつ強靭（レジリエント）で持続可能な都市及び人間居住を実現する

**目標12**　［持続可能な消費と生産］持続可能な消費生産形態を確保する

**目標13**　［気候変動］気候変動及びその影響を軽減するための緊急対策を講じる

**目標14**　［海洋資源］持続可能な開発のために、海洋・海洋資源を保全し、持続可能な形で利用する

**目標15**　［陸上資源］陸域生態系の保護、回復、持続可能な利用の推進、持続可能な森林の経営、砂漠化への対処ならびに土地の劣化の阻止・回復及び生物多様性の損失を阻止する

**目標16**　［平和］持続可能な開発のための平和で包摂的な社会を促進し、すべての人々に司法へのアクセスを提供し、あらゆるレベルにおいて効果的で説明責任のある包摂的な制度を構築する

**目標17**　［実施手段］持続可能な開発のための実施手段を強化し、グローバル・パートナーシップを活性化する

一人取り残さない」状態で達成されるべき17のゴールとそれに紐づく169のターゲット、232の指標で構成されています。

日本も国連加盟国として、達成に向けたさまざまな取り組みをされています。台湾は国連への加盟を認められていませんが、加盟国と同じようにこの重要な目標の達成に取り組んでいます。

新型コロナウイルス感染症が発見される前の世界は、地域課題こそあれ、地球全体の緊急で重要な問題に迫られているわけではありませんでした。地球温暖化の影響で近年の台湾は夏が長く・冬が短くなっており、私たちはこれを切迫した問題だと感じていましたが、世界には温暖化の影響を受けていない地域もあり、そこに住む人々はこの問題をそこまで実感していないという温度差があったのです。日本や台湾は台風や地震といった天災に深刻な影響を受けていますが、地球上にはそれらの影響をほとんど受けない地域もありますよね。台湾が〈Uber〉の合法化をどう解決したかといった話題に、同じように〈Uber〉の進出によってタクシーとの共存に悩んでいる日本が興味を示すなどといったことはありましたが、それらはあくまでどこかの地域特有の課題でしかなかったのです。

その状況がコロナ禍で一変しました。世界中で新型コロナウイルスの防疫対策に取り組んでいない地域はほぼ存在せず、共通の関心事ができたことにより、地理上は遠い場所同士であっても互いをサポートできるようになりました。台湾の「医療用マスクを購入したい人がすぐに買えるようにした方法」や、「ワクチンを接種したい人はすぐ接種が受けられる方法」に、海外の国々は非常に興味を持たれたようです。ウイルスには国境がありませんし、ワクチン接種者の割合を上げることは世界中の人類にとって急務ですからね。

こうして、〈SDGs〉の三つ目のゴール「保健：すべての人に健康と福祉を」は、世界中の共通の話題として討論されることになりました。〈SDGs〉はこのゴール以外にも、多くの世界の共通言語を含んでいるのです。

## 誰も取り残さない「インクルーシブ」という考え方

〈SDGs〉の根底にもなっていて、現在非常に大事にされているのが「インクルーシブ」という考え方です。多様性を重視しようという潮流の中で、「誰も取り残さないようにしよう」と皆が呼びかけあっています。社会に参加することは権利であり、身体や精神、言語などいかなる理由があっても、一人ひとりに対して平等に与えられているものなのです。

ただ一人ひとりの状況は異なりますから、私たち政府はさまざまな方法で多くの意見をすくい上げたり、今まさに社会のどこかで起こっている現実を知る必要があります。公共サービスにおいても、人が政府に協力するのではなく、政府が人に協力するように設計するのです。もちろんこれは絶えず皆さんと対話を重ねてこそできることで、パーフェクトなものが完成することはないでしょう。社会の一人ひとりが「もっとインクルーシブにできる」と思い続けることが必要です。

## 「〈SDGs〉は本当に達成できるか？」への答え

取材などでよく聞かれるのが「本当に2030年までに〈SDGs〉の169のターゲットを達成できると思いますか？」という問いです。

私は、コロナ禍と温暖化の二つが鍵だと思っています。**私たちがこの二つを解決することができたなら、他のことは比較的簡単に達成できると思っています。**ですが、もし2030年までにいくつかのターゲットを達成したとしても、この二つをきちんと管理できていなかったのなら、5年ほどであっという間に元に戻ってしまうと思います。

そして私が強調したいのは、〈SDGs〉の17のゴールはすべてが等しく重要であるということです。いくつかだけが重要で、その他は達成のための手段だったり、見切ってもよいものであるといったことはないのです。「17のゴールが同時に達成されてこそ、持続可能（サステナブル）である」ということなんですね。

現代を生きる私たちにとって、一つの目標を達成するために他の何かを犠牲にするということは、もはや珍しいことではないのかもしれません。清潔な飲料水を飲むことを諦めて工業を発展させてきましたし、社会的な相互信頼を犠牲にする代わりに効率的な経済モデルを実装してきました。

ですが、経済が急速に成長したのと引き換えに人同士が信頼関係を持てなくなっており、いわゆるトップダウン方式によって人権が侵害されているのを目にしても、それを救うことができないといった弊害も起こっています。こうした社会問題が後の発展へと影響を及ぼしているのです。

もし、17ある〈SDGs〉のゴールのうちどれか一つだけを200%達成し、他はどれも達成できていないのであれば、それは本末転倒です。逆に、達成できたのがそれぞれ8割ずつだったとしても、それらを同時に達成できたのなら、残りの2割を後からゆっくり達成することもできるでしょう。全体での発展こそが重要なのです。

もちろん、私たち一人ひとりがすべてのゴールの達成に貢献できるわけではありません。ただ、〈SDGs〉の達成を目指す時、「自分が取り組んでいるゴール以外のものは犠牲にしてもよい」という考えを持って臨んでいては意味がないですよ、ということです。

# 〈GDP〉も大事、でもその他も大事

## 〈SDGs〉を語る時、〈GDP〉はその一つの項目でしかない

〈SDGs〉の達成について語る時、よくとりざたされるのが〈GDP（Gross Domestic Product、国内総生産）〉、つまり経済成長とのバランスのとり方です。地球上で暮らす人類を誰も取り残さずに私たちの未来を創ろうとする時、現代の経済成長を目指した市場経済との間には矛盾があるという指摘ですね。

その答えはとてもシンプルで、**「〈GDP〉は〈SDGs〉に169あるターゲットのうちの一つでしかない」**ということです。169分の1ということですね。〈GDP〉

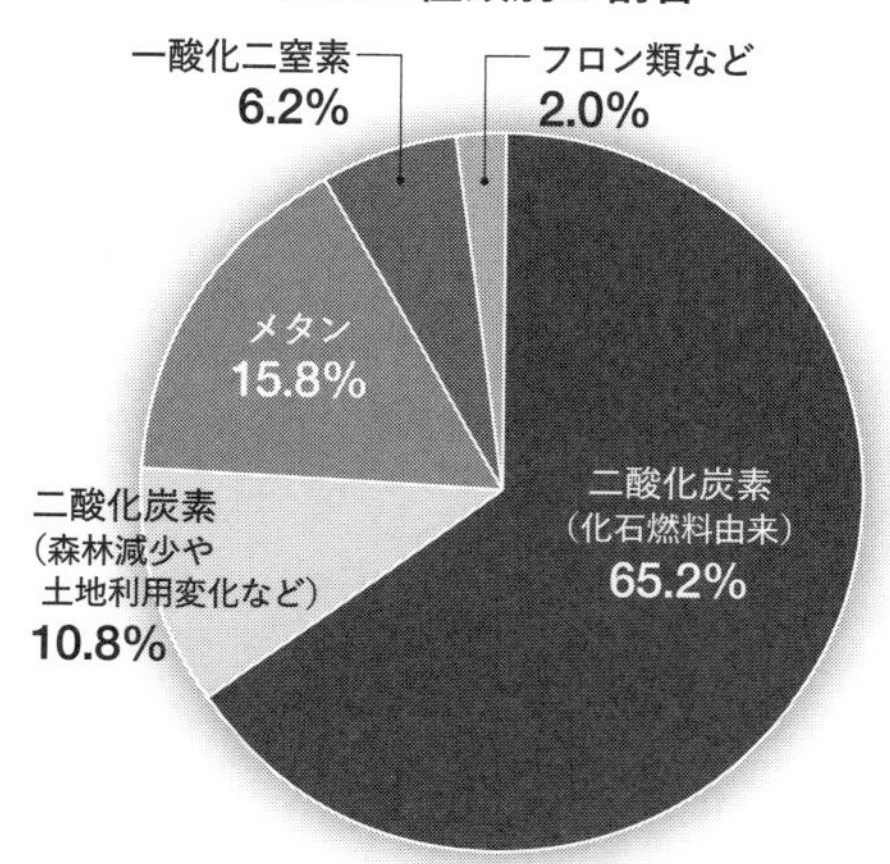


※2010年の二酸化炭素換算量での数値（出典：IPCC第5次評価報告書より作図。気象庁ホームページ「温室効果ガスの種類」https://www.data.jma.go.jp/cpdinfo/chishiki_ondanka/p04.html）

も大事ですが、他の169のターゲットも同じように大事なのです。もしかしたら皆が〈GDP〉のために費やす時間も169分の1でいいのかもしれません。

公共の議題について討論する時、これまでの私たちは〈GDP〉を用いて政策を計測してきました。一つひとつの政策が終わる時、その年の〈GDP〉にどのくらい貢献できたのかが問われます。貢献しないわけにはいかないということですね。

でも、〈GDP〉を追求する時に、それが温室効果ガスの増加にどれだけ影響を与えてしまうのかを問う人はほとんどいませんでした。皆が〈GDP〉が下がるのは悪いことだと思っている、それは私も理解できます。でも温室効果ガスの増加だって、十分悪いことですよね。その悪さは同じレベルで、どれも169分の1です。ただ、実際には温室効果ガス[*5]の削減は数倍重要だといえなくもないのですが。

## 社会や環境の破壊は、経済損失よりも大きな痛手である

一般的に「〈GDP〉をこれ以上下げてはならない」というラインを〈ボトムライン

＊5　温室効果ガス　人間活動によって増加した主な温室効果ガスには、二酸化炭素、メタン、一酸化二窒素、フロンガスがあり、二酸化炭素は地球温暖化に及ぼす影響が最も大きな温室効果ガス。二酸化炭素は、石炭や石油の消費、セメントの生産などにより大量に大気中に放出される。また、大気中の二酸化炭素の吸収源である森林が減少し、これらの結果として、大気中の二酸化炭素は年々増加している。メタンは二酸化炭素に次いで地球温暖化に及ぼす影響が大きな温室効果ガスで、湿地や池、水田で枯れた植物が分解する際に発生する。この他、家畜のげっぷや、天然ガスを採掘する時にもメタンが発生する。
(出典：気象庁ホームページ「温室効果ガスの種類」参照。https://www.data.jma.go.jp/cpdinfo/chishiki_ondanka/p04.html)

〈Bottom Line〉と呼びます。商業社会においても、企業経営で税金などを引いた後の純利益を〈ボトムライン〉といい、株主に損をさせないよう、「我々の今年の〈ボトムライン〉はこれで、これを下回ってはならない」などといった形で使われています。

私がここでお伝えしたいのは、**〈SDGs〉は私たちに〈ボトムライン〉は一つではなく、さまざまな種類があると教えてくれている**ということです。いわゆる「普通の商業社会」にだけ〈ボトムライン〉があるわけではなく、仕事を求めて台湾に出稼ぎに来た人々を攻撃してはならないことや、大気圏のオゾン層を破壊してはならないこと、地球温暖化をこれ以上進めてはならないことにもまた、〈ボトムライン〉があるのです。これは古いものを否定しているわけではなく、古いものだけで解釈していては成り立たないということを意味しています。そして、どれも同時にやり遂げる必要があります。少なくとも**「経済」「社会」「環境」の三つ、〈トリプル・ボトムライン（Triple Bottom Line）〉**だけは達成しなければなりません。

重要なのは、純利益が下がって損失を出すのと同じように、社会や環境を破壊することもまた損失であるということです。あなたが環境を破壊する方法で事業を営めば、後世の人々が事業を興すための資源がなくなってしまいます。台湾にはこれを表す「竭澤而漁（ジエザーアーユー）」という諺（ことわざ）があります。大きな池や湖に棲むすべての魚を一度にすくい上げられたら、多くの魚を売りさばいてすごく儲かった気がするものですが、その場所には魚がいなくなってしまうので、二度と同じことは起こらないという意味です。今後、その人の子孫たちがその場所で魚を獲る可能性を摘んでしまうことになるのです。

ですから、まずは私たちが「短期の経済成長を追求することで未来の経済の可能性を犠牲にすること」を〝損失である〟と捉えられてはじめて、経済成長と環境保護の両立についての対話が始められるでしょう。もし私たちが後世を犠牲にして、現代を豊かに生きることを〝利益を出した〟と呼ぶのなら、私たちが他にどれだけ環境によいことをしても相殺され、すべてはなかったことになってしまうでしょう。

## 私たちは何かを手放さなければ〈SDGs〉を達成できない？

「〈SDGs〉の達成と経済成長は両立しないのではないか？」と、その狭間で悩む人もいるかもしれません。私たちは日々さまざまなものを生産しすぎていて、そもそもそれらを生産しなければ、消費も廃棄も起こらず、地球への負担が減らせるのではないかといった指摘もあります。

そのヒントとして、台湾はゴミのリサイクル率が非常に高いということが挙げられます。「ゴミのリサイクル率が非常に高い」という前提がある時、「ガラス瓶を製造すべきではない」という意見はあまり論理的ではなくなりますよね。なぜならガラスの瓶は一時的に瓶の形状をしているだけで、回収された後にまた熱せられて、今度はアート作品に変わることもできるからです。けれど、もし良好なリサイクルの循環ができないのであれば、それはとても残念なことです。

つまり、すべては**「その資源がリサイクルできるようコントロールできているかど**

**うか？」**によるのです。コントロールの精度が高ければ高いほど、現在は暫定的にとある形状で生産されていたとしても、後世の人々に影響することはありません。けれどリサイクルされないまま地面に埋められてしまったら、子孫たちはそこに資源があることを知らないまま、掘り起こすこともできないでしょう。そうした前提であれば、確かに「最初から生産すべきではない」という議論が必要になるかもしれません。

ちなみに、モノの中には「リサイクルすると価値が高まるもの」も存在します。そうなれば、より多くの人々がリサイクルしようとするようになるでしょう。携帯電話に使われていた金属がオリンピックのメダルに使えるとなると、皆が喜んで集め始めて、その価値はとても高くなります――そもそも携帯電話に金属を使うべきだったのかどうかは疑問が残りますが――。反対に、リサイクルのたびに価値が減少し、ある時点でリサイクルのためのコストがその価値を上回ってしまうと、誰もそれをリサイクルしようとしなくなりますよね。

## 〈SDGs〉は世界共通の価値観

〈GDP〉は国内総生産を表す指標としてこれからも使い続けられていくでしょうが、社会には人が幸せであるかどうかとか、〈GDP〉以外にもっと重要なことがありますよね。それらの指標はたとえば、きれいな水が飲めていること、よい教育を受けていること、自分の能力を発揮できていることなどの項目によって構成されているのかもしれません。測るものによって、指標やその測り方は異なりますよね。

私にとっての指標とは、「共通の価値観」のように、皆で一緒に創り出すものです。私個人が特定の議題を大事だと思うかどうかは重要ではなく、皆が討論を重ねる中で、「社会が『これが大事だ』と思える共通の価値観を見出していくこと」です。

もし私が「これは大事なテーマだ」と思ったとしても、社会がそれを大して重要だと思わないのであれば、それはおそらく私自身の問題です。その場合、私はまず先に自分が重要だと思っているテーマを同じように重要だと思っている人々を探し出すべきですね。そして、そのコミュニティの中で、そのテーマの重要性や、伝え方について討論していくことが大切です。「皆がこのテーマを重要だと思っていなくても、私が重要だと思うから、皆にやれと命令する」ということでは、まったく意味がありません。

「共通の価値観」の形成には、これまでもプラットフォーム〈Ｊｏｉｎ〉や、ＡＩによる合意形成アルゴリズムシステム〈Pol. is〉などを利用してきましたし、最近では若者間での討論会〈Let's Talk〉で心理カウンセリングや遠隔心理医療について話し合っています。そして、こうした話し合いで出された結論は、現役の専門家たちにどう思うのかを聞いてみるようにしています。そこでさらに「共通の価値観」を見出すことができれば、次は「何か一緒にできることはないか？」といったように、対話を重ねていくことができますからね。

そうした意味で、〈ＳＤＧｓ〉は世界共通の価値観だといえます。

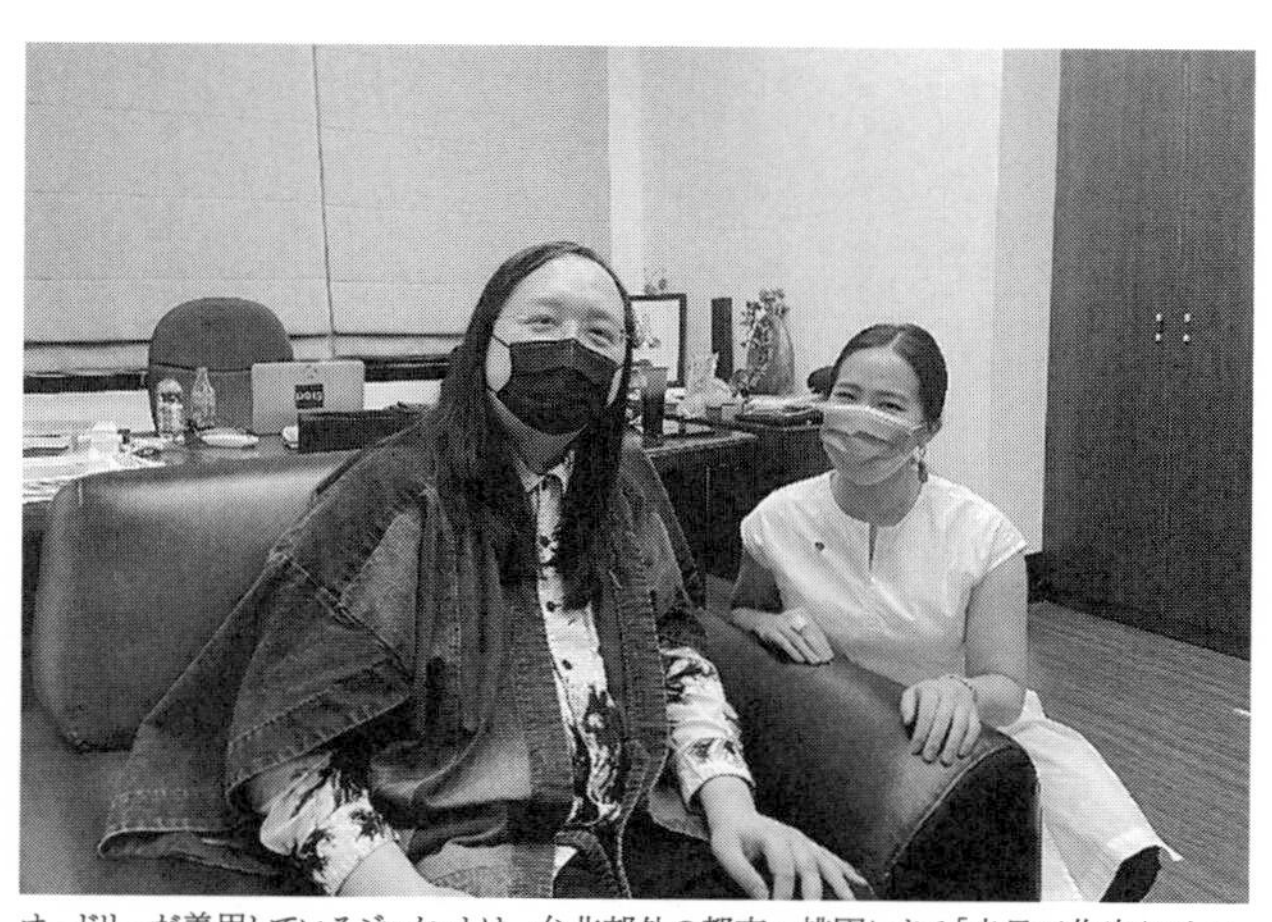

オードリーが着用しているジャケットは、台北郊外の都市・桃園にある「寺日工作室」のもの。香港から台湾に越してきたデザイナーが、地元女性たちとともにアップサイクルに臨んでいる。

「共通の価値観」を見出し、それをより多くの人々に伝えたいと思った時、私はよく「ソーシャルイノベーション」を用いることをおすすめしています。本来であればそのテーマについて討論するはずもなかった人々が「ソーシャルイノベーション」によって新たにつながることができるからです。

たとえば私が今着ているジャケットは、回収したデニム生地をアップサイクルすべく、デザイナーが現代にフィットするデザインを考え、出産や介護などさまざまな理由で仕事から離れていた地元女性たちに裁縫を依頼して作られたものです。

そこに「ソーシャルイノベーション」があったからこそ、もともと一緒に仕事をしているわけではなかった人々が「共通の価値観」を見出し、ともに能力を発揮することができています。

これまでの考え方の延長線上で〈ＳＤＧｓ〉の17のゴールを同時に達成しようとすると、難易度が高いと感じるかもしれません。ですがそこに「ソーシャルイノベーション」の概念が浸透するだけで、〈ＳＤＧｓ〉という世界共通の価値観を実現する可能性を無限に広げることができるのです。

## ソーシャルイノベーションで広げる

「ソーシャルイノベーション」を用いれば、「共通の価値観」を核にして広がっていくことができます。

台湾では２０１６年頃から〈ＣＳＲ（Corporate Social Responsibility、企業の社会的責任）〉活動が重視され始め、上場企業を筆頭に、数々の企業がＣＳＲ報告書を作成・

公開するようになりました。その後、〈ESG（Environmental：環境、Social：社会、Governance：ガバナンス）〉といった概念が普及し、それらの観点から投資を行う〈ESG投資〉も注目されるなど、投資家も長期的な持続可能性に目を向けるようになっています。さらに世界的に〈SDGs〉が重視されるようになったことで、報告書の内容もそれと関連づけるような流れができています。はじめは手探りだった企業も多いようですが、海外の例も参考にしながら定着してきました。

「共通の価値観」について討論するには非常に長い時間が必要になりますが、これら〈CSR〉や〈SDGs〉の報告書を一目見るだけで、その企業が持つ価値観がどのようなものなのか、手にとるようにわかります。報告書はインターネット上で公開してありますから、時間や空間の制限なく、人々はそれらを読むことができます。「ソーシャルイノベーション」を起こしたい人同士がつながるチャンスがより広がっているといえるでしょう。

## 〈SDGs〉に必要な素養とは？

〈SDGs〉について話す時によく問題視されることの一つが、環境や〈SDGs〉に関してあたかもうわべだけよくやっているかのように見せかける〈グリーンウォッシュ〉、〈SDGsウォッシュ〉です。たとえば、実際には根拠がないのに「環境にいい」と謳ったり、海や森林の写真を使って環境によさそうなイメージを与えるといったことがこれに当たります。

もし、社会がこれらの概念をあまり理解していないのなら効果があるのかもしれませんが、台湾の場合、市民や企業にとっての顧客たちはすでに十分な判断力を持ち合わせているので、企業がそのようなことをするのは自爆するのと同じです。

ですから**鍵はやはり、一人ひとりが〈SDGs〉の基本概念をよく理解することだと思います。**〈グリーンウォッシュ〉や〈SDGsウォッシュ〉は一種の詐欺ですが、基本的な概念、つまり前述したような「素養」が備わってさえいれば、詐欺に遭うリスクは大幅に低下します。

確かに、〈ＳＤＧｓ〉などといった新しい概念が出てきたばかりの頃は、それに対する「素養」を持ちづらいかもしれません。皆にその概念についての「素養」がない時、概念を広めようとする人たちは広く啓蒙活動や宣伝を行いますよね。その時が最も詐欺に遭いやすいのです。

けれど、少しずつ皆がその概念に詳しくなり始めると、相手にどういった質問をすればよいのか、相手が負うべき責任にはどのようなものがあるのかもわかり始めます。「なぜ、それが環境によいのか？」などといった、エビデンスをもとに対話することができるようになってきます。

その頃には、〈グリーンウォッシュ〉や〈ＳＤＧｓウォッシュ〉をしている人々はうまく答えることができなくなりますから、私たちは彼らを牽制することができます。「こういう理由があるから環境によいのです」「この事業はこんな環境汚染の可能性があるので、その点はこのように処理しています」などと、きちんと答えられた人のみが事業を継続できるわけです。

というわけで、もしあなたが〈グリーンウォッシュ〉や〈SDGsウォッシュ〉を減らしたいと思うのなら、それらに関する知識を広く拡散することです。そうすればそれらを行う連中のもとには、顧客たちから問い合わせの電話が殺到するでしょうから。

これは第1章でお話しした、デジタル政策や防疫対策と同じです。そのために、**疑問があれば絶え間なく質問を続け、正確な知識を得ることも大事**です。少数の専門家たちだけが現況を理解していて、社会はその専門家たちのことが信頼できていないという状況よりも、社会の一人ひとりが理解し信頼し合えているほうがずっとよい状態だといえるのです。

# インクルーシブな社会に必須の「オープンガバメント」

## 多様性を持つ人々が政策制定に参加するために

私が台湾で取り組んでいる「オープンガバメント」も〈SDGs〉の16番目のゴール「平和と公正をすべての人に」に相当し、世界中の人々が各地で取り組んでいるテーマです。〈SDGs〉の他の16のゴールと変わらず、これも他のゴールと同じだけ重要なわけです。

ではなぜ重要なのでしょう？　それは、人々が政策制定に参加することができなければ、ほとんどの政策がどれも少なからず〈SDGs〉にマイナスの影響を与えることになってしまうからです。インクルーシブであろうとするのなら、また、誰のことも犠牲にしないような政治を目指すのであれば、まず「オープンガバメント」以外に方法はないといえるでしょう。

私が入閣した2016年に自分のミッションの一つを「オープンガバメント」に設定したのは、当時地方政府が「オープンガバメント」を推進していたのを、全国規模でしようとしたにほかなりません。実際のところ、世界各国の「オープンガバメント」も同様で、皆最初は小さいエリアで実践していたものが徐々に都市レベルに広がり、最後に全国規模に拡大しているケースが多いのです。

その中でも、台湾は比較的速いスピードで「オープンガバメント」を全国規模に広げることに成功しています。成功の大きな理由の一つは、それまでに地方政府が「オープンガバメント」を推進する際、オンラインでのライブ配信やオンラインコミュニティの運営など、デジタルを見事に活用しており、皆がはっきりと効果を感じられていたからです。そのおかげで、私がデジタル担当大臣として「デジタルの価値はインターネット上に公共サービスを提供するだけでなく、皆が政策の決定に参加できるようにすることにある」と説いた時も、すんなり理解してもらうことができました。

## 公共サービス手続きのデジタル化よりも政策決定への参加が大切な理由

実際、人々が政策の決定に参加することには、公共サービスの手続きがインターネット上でできることよりも、ずっとメリットを感じてもらうことができます。

水道費の支払いを自動振込やコンビニ支払いで済ませたり、補助の申請をメールで簡単に済ませたりすることは、そこまで達成感を感じるようなものではありませんよね。「納めるべきものを納めた」、「やるべきことをやり終えた」というだけに過ぎません。そこにかける時間がどれだけ短縮されたとか、手続きの流れがどれだけ素晴らしいかといったことに関し、人々が毎回「あぁ、この水道代の支払いはとてもやりやすくてありがたい!」などと感謝するようなことはごく稀です。

「公共サービスの供給」におけるデジタルの運用に私たちがどれだけの予算をかけよ

うとも、皆の討論の焦点にはなり得ません。私はまだ「電子政府（electronic government、コンピュータ間のネットワークやデータベース技術を利用した政府）」への転換が叫ばれていた時代、〈デジタルガバナンスリサーチセンター〉で、台湾の公共行政学界が非常に長い期間続けてきた研究資料に触れたことがありますが、このことは学術界で一般的に認められていることなのです。

一方、もし何かわからないことがあり、それを政府の情報提供によって解決できた場合はその比ではありません。たとえば防疫対策で何か不安なことがあった時、専門ダイヤル「1922」に電話したり、防疫対策専門のLINE公式アカウントですぐに解決した場合、人ははっきりと記憶に残るものです。「知りたい」と思った情報が提供されたと実感した時、自分が支払っている税金が無駄ではなかったと満足を感じることができます。自分の住んでいるエリアにどのような公園があるのかを調べていて、政府のデータの中から素晴らしい公園に関する情報が見つかった時もそうですね。

ですがさらにいえば、自分が「ここには特色ある公園を設けるべきだ」と呼びかけ、もしそれが本当に地方政府の政策として設立されることが決まった場合には、もっと満足感は深まることでしょう。

公園の情報を探していて見つけた場合には、個人の研究や報道に政府のデータが役立ったというだけに過ぎませんが、もしあなたの呼びかけによって公園が作られたとしたら、あなたは皆に向かって「この公園は私が作った」と言うことができますよね。もちろん実際に公園の建設をしたのはあなたではありませんが、あなたの考えから生まれたものであれば、満足感や達成感は非常に高くなります。

このように、デジタル政府においては「公共サービス手続きのデジタル化」「政府の所有するデータの公開」「市民からの意見の受付」という、それぞれ段階の違うものをすべて実施することができます。そして後者になればなるほど、皆の記憶に残るのです。

そして、たくさんの人が参加すればするほど効果が現れ、「ソーシャルインパクト（社会的影響力）」を持つようになります。もちろん前者も大事にしなければなりませんが、それはあくまで「後者の『オープンガバメント』のために準備しなければならないもの」といった感覚です。

## 「オープンガバメント」で世界と連帯する

「オープンガバメント」の推進にあたり、私は入閣後に〈オープンガバメント・アクションプラン〉というとても規模の大きな計画書を行政院内で通過させ、実施しています。これには大きくいうと二つの目的があります。一つは海外とのつながり、もう一つは民主主義の価値を深めることです。

海外には80か国近い加盟国からなる〈オープンガバメント・パートナーシップ（OGP）〉という連盟があります。台湾も積極的にその活動に参加していますが、いまだ加盟は認められていません。けれど私たちはこの〈OGP〉が採用している基準に則り、「オープンガバメント」を進めています。台湾が世界のお手本になれるくらいうまくできたなら、いつか加盟させてもらえるかもしれませんからね。

これまで台湾が最も国際的に知名度があったのはタピオカミルクティーだったと思

いますが、コロナ禍で台湾の民主的な防疫が広く知られるようになりました。これは大変喜ばしいことです。台湾は半導体なら〈TSMC〉、自転車なら〈GIANT〉と、専門の領域では世界的な知名度を誇るものがありましたが、一般的な領域で知られているのはタピオカミルクティーか小籠包くらいで、他にはほとんどありませんでしたから。

台湾の「オープンガバメント」において、大学生など若者の参加は大変素晴らしい事例を持っています。2017年から続けているプロジェクト〈RAY（Rescue Action by Youth）〉では、政府機関のウェブサイトやウェブサービスに対し、学生たちがユーザーインタビューなどを経て、プロトタイプや改善案を提案し、成果を上げています。

2020年度に実施された〈RAY4・0〉では、政府側の教育部（日本の文部科学省に相当）青年署ももっと若者の意見を取り入れたいと意欲的になってきましたし、学生側も「政府はこんなにたくさんの仕事をしていたのか」「政府はこんなに色々なことを考慮して政策を行わなければならないのか」という発見があるようです。

「もっと公共政策にかかわりたい」と思う学生も増え、私たちのオフィス「PDIS」

教育部青年署のオフィシャルサイトプロジェクト。左が改善前の現行のウェブサイト、右が改善案のプロトタイプ。出典：https://ray2020.pdis.nat.gov.tw/yda/

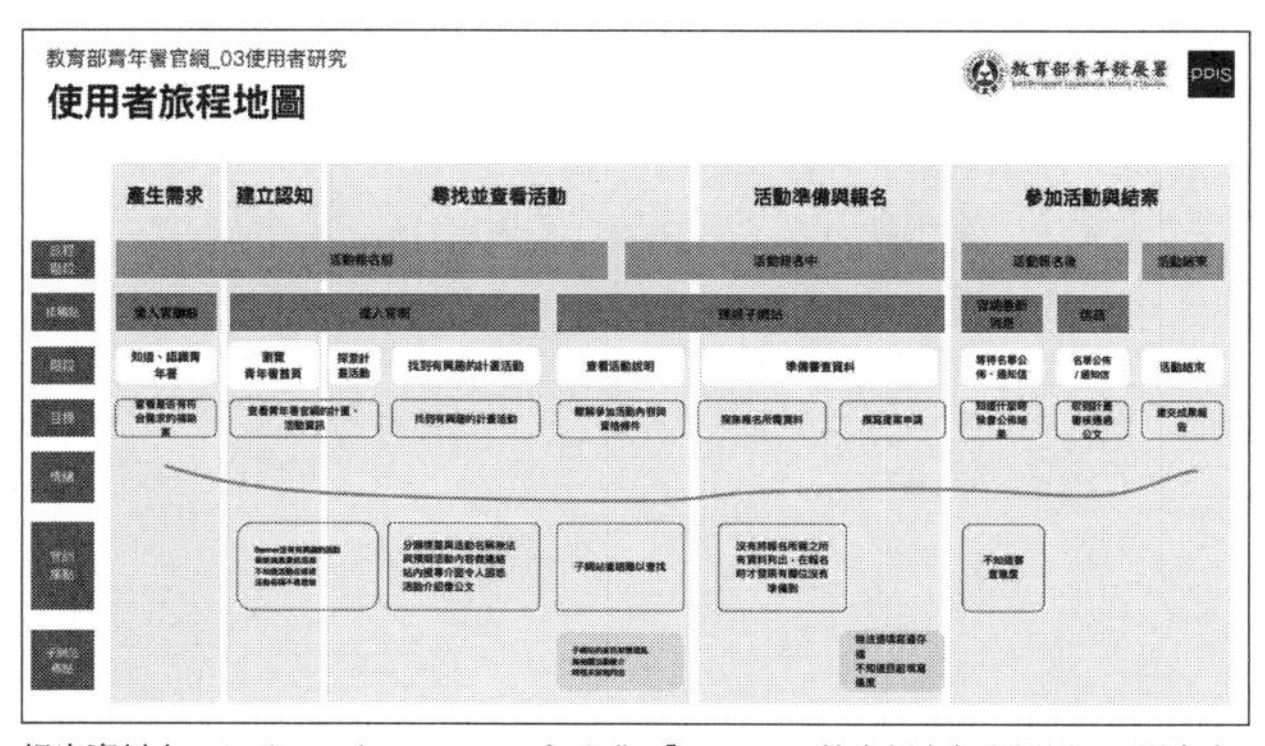


提案資料内のカスタマージャーニーマップ。出典：「RAY 4.0 - 教育部青年發展署 by 羅宛庭/簡巧恩/黃采媛/蔡蕙羽」https://issuu.com/pdis.tw/docs/_______0831___________

RAY

オードリーのオフィス「PDIS」が2017年から続けているプロジェクト〈RAY（Rescue Action by Youth）〉では、毎年エントリーの中から選出された大学生・大学院生らが公共政策に参加する試みが続けられている。写真提供：PDIS

オードリーのオフィス「PDIS」で青年の政治参加に取り組むメンバー。左から、デザイナー出身の張皓婷、政府内で長年の経験を持ち現在は「PDIS」で参事を務める葉寧、国道公路警察局出身の魏守斌。筆者撮影

のメンバーになった人もいます。

けれどこうした点は、まだまだ世界に知られてはいません。ここは私たちがこれからも努力していく部分です。台湾の「オープンガバメント」が防疫だけではなく、さまざまな方面で発揮されていることを伝えていきたいと思っています。

## 〈限界費用〉がゼロに近づいていく

インターネットが普及した今、私たちが世界中で連帯して未来を創っていくために追い風となったのが〈限

界費用（Marginal Cost、モノやサービスの生産量を1単位増やした時のコストの増加分）〉の減少です。

たとえば今、何かの概念を人にシェアしたいと思った時、その言葉や画像をシェアするのにコストはほぼかかりませんよね。あなたが私にリンクを送ろうとした時、あなたが接続しているインターネット回線と、私が接続しているインターネット回線に負担がかかり、どちらかがオプション費用を支払わなければならないといったこともありません。この状態のことを「〈限界費用〉がゼロである」といいます。1回作ったら、それをどれだけの人にシェアしたとしても、誰も損失しないという状態です。

現代では**さまざまな物事の〈限界費用〉が次第にゼロになりつつあります。**インターネットが誕生したばかりの頃は、本当に短いテキストメッセージやメールだけだったのが、現在は画像や動画までもが〈限界費用〉ゼロの状態でシェアし合えるようになりました。お金の心配をしなくてよいということは極端な話、たとえまったくお金を持っていない人であっても、インターネット回線とツールさえあれば、何かを作ることも、社会生活を送ることもできるということです。

けれどまだ別のこと、たとえば私がここにあるオレンジジュースを飲んだら、他の人が飲む分がなくなってしまうということも起こります。オレンジジュースは、1杯作るごとにオレンジの果汁などのコストがかかります。つまり〈限界費用〉が発生しますし、それがインターネットの普及によって次第にゼロに近づいていくことはないですから、飲みたい人はお金を出して買わなければなりません。そうでなければ、〈限界費用〉がゼロの水を飲もうということになります。台湾では至るところに無料で利用できる給水機がありますからね。

つまりは**テクノロジーの発展に伴って社会も発展し、もともとは存在していた〈限界費用〉がゼロに近づいていくということです。**そして〈限界費用〉がゼロのものが増えれば増えるほど、私たちはお金の心配をしなくてもよいようになります。

例を挙げましょう。私は生まれながらにして心臓病を患っていました。10代の頃に手術をして完治していますが、私が幼い頃は、病気になった人にはお金の心配がつきまとう時代でした。腕の良い医者と悪い医者、品質の高い薬と低い薬、入院する病院の環境など、受けられる医療レベルがお金によって左右されてしまいます。また、経済的な負担が大きいために病気になっても病院にかかろうとしない人が大勢いました。私の両親も、私の心臓病のために多くの医療費を費やしていました。

ですが1995年から台湾は「国民健康保険制度」を採用し始めました。実質的に始まったのは1990年代のことでしたが、2000年初頭に多くの医療項目がこの制度の中に組み込まれるようになりました。世界のほとんどの国では組み込まれていない歯科医療などの医療も範囲内に収められ、お金の心配をせずに歯の治療が受けられるようになりました。今では海外で暮らす台湾国籍の人々が歯の治療のために台湾に戻ってくるほどです。当時、一人の歯科医として歯科医療を制度の対象範囲内にしようと提唱し、重要な役割を果たしてくれた現・衛生福利部の陳時中部長には感謝しなければなりません。

〈限界費用〉がゼロのものであれば、私たちはごく自然にシェアし合う習慣ができつつあります。ゼロではないものは、信頼している人やごく親しい人とだけシェアします。これは誰もがそうで、私たちもいきなり路上で見知らぬ人々に飲み物をご馳走したりはしませんよね？

一方で、何かしらの概念や考え方であれば、ハッシュタグ「#」を用いてどこまでもシェアすることができます。〈限界費用〉はゼロですね。ですから私は〈限界費用ゼロ社会（限界費用がゼロあるいは限りなくゼロに近づくことで出現する社会）〉の概念は十分成立し得ると思っています。

ですが、急いですべてのことにそれを当てはめようとしてはなりません。人は、「自分たちが慣れ親しんでいるモノやサービスの〈限界費用〉がゼロであり、それをシェアしても自分に損失がない」とわかりきっているからこそシェアしようとしてくれるのですから、他人に「これは〈限界費用〉がゼロだから」と、無理強いしてはなりません。相手にとっては実際のところ〈限界費用〉が発生していることもあるわけで、その場合は相手を追い詰めることになってしまいます。

〈限界費用〉がゼロであるのか、ただ限りなくゼロに近いだけなのか、その見方は両方成立するのです。

## 100年後の世界のためにできること

私たちの世界の未来がどのようなものになるか、私にはわかりません。

ですが、「100年後の世界を生きる人々が、自分たちでさまざまなことを決めることのできる可能性を奪ってはならない」ということはわかります。

たとえば私たちが地球を温暖化により破壊してしまって、誰も暮らすことのできない状態にしてしまったとしたら、100年後に人類は地球に住むことができず、彼らは別の暮らせる場所を探しにいかなければならなくなりますよね。そうなると、「地球で暮らしたい」という人がいても、その可能性を奪うことになってしまいます。

ですから最も重要なのは、私たちが後世の人々のために何かを決める必要はないですし、また、決めてはならないということです。後世の人々が別の星に移り住むかどうかも、地球に残りたいと願う人は残れるようにするかどうかも、その時代を生きる彼らが決めることだからです。

そのために私たちができる大切なこととは、**「できるだけ取り返しのつかない変化を起こさないようにすること」**です。後世の人々が「何かを変えたい」と思った時に、私たちによって制限されずに済みますからね。「Be a Good Enough Ancestor（よい祖先になろう）」という言葉がありますが、それは「パーフェクトなご祖先さま」のことを指すのではありません。パーフェクトとはあなたにとってのパーフェクトであって、それが後世の人々にとって必ずしもパーフェクトであるとは限りませんから、後世の選択の自由を剥奪しないように気をつけたいものです。

## 私たちが世界規模の問題に向き合う時、どのように歩みを揃えるべきか

温暖化や感染症対策などといった地球規模の課題について、これまでの私たちは参

考にできる前例を持ち合わせていませんでした。ここまで世界規模の問題に遭遇したことがなかったからです。

けれど今ではどうでしょうか。各国のハイレベル官僚たちが大規模な会議をリモートで実施するようになりましたが、これはコロナ前では考えられないことでした。彼らの多くはリモートで会議を行う習慣がなく、大規模な会議であればなおさら、必ずリアルで実施されてきました。従来は比較的若い世代でのみ行われていたリモート会議ですが、現在では国家元首でさえオンライン上での討論にすっかり慣れてしまったのです。

私はこれをとてもよいことだと思っています。なぜなら、温暖化のようなテーマは1年に1度の会議ではまったく足りず、絶え間なく状況を確認し、討論する必要があるからです。毎週、毎月、それぞれのチームで話し合うことが最も重要なのです。そうなると参加者はそれぞれ別の場所にいることになるでしょうが、リモート会議であれば持続的な実施が可能になりますよね。

私がとても楽観的なのは、コロナ禍によって、それまでオンラインへ移行しようとしなかった国々が、現在ではすでにそのための準備を整え、オンラインでの実施に意欲的であるという状況があるからです。温暖化もウイルス対策同様、まずはそれがどのように引き起こされたのかを確認し、それから短期・中期・長期的な対策と手段などを決めていく必要があります。今ではさまざまな会議がオンラインで可能になったので、これからはより加速度的に連帯していくことができるでしょう。

# 第4章
# これからの未来を創る皆さんへ

最終章では、日本の皆さんのお悩みに答えていけたらと思います。

これからの未来を創る皆さんに、私の考え方をシェアします。もしあなたが「共通の価値観」を感じてくださったなら、ぜひ私たち台湾のソーシャルイノベーターと一緒に連帯していけたらうれしいです。

最後は、私がコロナ禍で行うようになった挨拶で締めくくります。

「Live long and prosper（長寿と繁栄を）！」

## Question

# 自分がすべきことをどのように見つけていけばよいかわかりません。

## Answer

まだ鳴ることのできる
鐘を鳴らそう。

私がメッセージを求められた際にいつも参照している言葉は、前述したレナード・コーエンの歌『Anthem』の一節です。ここでは長めに引用しましょう。

*Ring the bells that still can ring*
*Forget your perfect offering*
*There is a crack in everything*
*That's how the light gets in*

筆者拙訳：
まだ鳴ることのできる鐘を鳴らそう
完璧さを求めるのは忘れよう
すべてのものには裂け目がある
裂け目があるからこそ、そこから光が差し込むことができるもし、今のあなたが「まだ何かはわからないけれど、自分にとって何かすべきことがある」と感じているのなら、社会に出るのを待たずとも、できることは何かしらあります。

今の世の中には貧困や格差や温暖化など、大きな問題がたくさんあります。

たとえば〈SDGs〉が非常に大きな目標であるために、「今の自分には、とてもその大きな鐘を鳴らすことはできない」と思うかもしれません。でも、今のあなたにも何か小さな一つ、二つでも〈SDGs〉に貢献できることはあるはずです。

たとえば、〈SDGs〉について学んでそれを誰かに教えてあげることはできますし、今している仕事に少し〈SDGs〉を意識した要素を加えることもできるでしょう。

そうした意味で、私はあなたに“Ring the bells that still can ring（まだ鳴ることのできる鐘を鳴らそう）”と伝えます。あなただからこそできることはあります。

## あなたの少しの心がけで、たくさんの人を幸せにできる

もし、あなたが今「自分には何もできない」と思ってしまったとしたら、前項同様『Anthem』からの引用で、“There is a crack in everything. That's how the light gets in（すべてのものには裂け目がある　裂け目があるからこそ、そこから光が差し込むことができる）”という言葉を贈りたいと思います。

何か完璧なことをしようとしても、自分にはそれだけの能力がないからといってそれを諦め、また別のことを思いついてはそれもまた諦め、「最後にはもう何もする気が起こらなくなってしまった」という人は、台湾にもいます。

そんなあなたに聞きたいのは、「今のあなたにはどのような〝ひび割れた裂け目〟が見えていますか？」ということです。つまりそれは、社会の中の何かよくない部分で

す。あなたの友人や親戚、ご近所さんたちが、今何に苦しみ、悩んでいるかを思い浮かべたり、実際に聞いてみてください。

それらを知り、〝ひび割れた裂け目〟が見えた時のあなたは、これまで「自分には、いったい何ができるのか」と嘆いていた時のあなたとは完全に違う自分になっているはずです。「〝完璧な作品〟を作ろう」ということではなく、「今この時に苦しんでいたり、不快な思いをしている人々の状況を、どのようにしたら少しはよくできるだろうか？」と考えられるようになっているでしょう。

**100%完璧でなくていいのです。**そもそも一人の人間にできる100%の社会貢献なんて、この世には存在しないのですから。たった少し社会をよくしたり、問題を解決しただけで、たくさんの人を幸せにすることができます。

そうなった時、あなたはすでに自分が何者であるかを証明する必要もありません。「あなたが人々を苦しみから救った」という結果ははっきり見えていますからね。

そう、チャンスは万物の中に存在しているのです。

## 不安な気持ちこそが、好奇心や新しい人や物事と出会う原動力になってくれます

実際に動いてみると、それが実現できるのかどうか、どのように実現すればよいのか、不安になったり、自信が持てなくなったりするかもしれません。

でも、不安な気持ちこそが好奇心や新しい人や物事と出会う原動力になってくれます。

そんな時には、『Anthem』の一節〝There is a crack in everything. That's how the light gets in（すべてのものには裂け目がある　裂け目があるからこそ、そこから光が差し込むことができる）〟という言葉を思い出してください。

挫折したり、不安になることはとてもよいことなのですよ。なぜならそれらは、〝あなたが新しい可能性を迎えようとしている〟ことを示しているからです。現状に100％満足しているのなら、何か新しい関心事を見つけたり、好奇心を持ち続ける

ことはできなくなってしまいます。

私からの具体的な提案は、**「急いで解決しなくてもいいのではないでしょうか」**ということです。通常、不安という感覚は好奇心と表裏一体です。急いでそれをなんとかしようとしても、辿り着けるのはごくありふれた答えでしかなくて、あなたは結果的に挫折や焦りを味わうことになってしまうでしょう。けれど、「不安でもいいじゃないか」という気持ちでそれとうまく付き合おうとしてみると、次第に挫折や焦りはどこかへ消え去っていくというものです。

それに、急いで解決しようとさえしなければ、自分に「裂け目こそが、光の差し込む入口だ」と言い聞かせてあげることができます。物事に対する不安な気持ちこそが、好奇心の源となり、私たちが新しく誰かと知り合ったり、新しいやり方を見つけるための原動力になってくれるのです。

Question

# 仲間を見つけたいと思った時、どうするのがおすすめですか?

## Answer

歴史ある
コミュニティではなく、
できたばかりの
コミュニティに
参加するのも
一つの方法です。

あなたが何かを始めようとする場合、「共通の価値観」を共有できるコミュニティに参加してみるのもよいかもしれません。

たとえば、アメリカの非営利団体による国際認証制度〈B Corp（B Corporation）〉の支部は台湾にもあって、公益性の高い企業が連帯して活動しています。この〈B Corp〉自体はそこまで古いものではありませんから、今から初心者が参加したとしても、初心者側にもコミュニティ側にも多くの学びがあり、支え合えるのではないでしょうか。初心者がぶつかりやすい問題について、彼らの記憶もはっきりしていると思います。

逆に、あなたが参加しようとするずっと前、何十年も前からそのコミュニティが存在している場合、コミュニティ側にはあまりにも多くのノウハウや歴史があって、初心者が追いつけなかったり、あなたが必要としているようなリファレンスが得られないといった場合もあるでしょう。

例を挙げましょう。台湾には〈主婦連盟生活消費合作社〉という団体があります。

私の母も設立にかかわっており、彼女たちは20~30年前から環境にやさしい共同購入・消費を行ってきました。初心者が彼らの文化に慣れるまでには多くの時間を費やすことが必要で、彼らが数十年間かけて築き上げてきた文化をすぐに移植することはできません。

すぐに移植できないのはなぜか、もう一つ例を挙げましょう。

私は日本語が話せませんので、いつも機械翻訳を通じて日本語の情報に触れていますが、特に積極的に日本語を勉強しようといった気持ちは今のところありません。そんな私が「明日には突然、日本語が話せるようになっている」というのは、あり得ない話ですよね。「日本語が話せるようになること」と、「機械翻訳を通じて日本語を話すこと」は、まったく異なります。日本語を話すためには、その言葉選びにおいて「社会の雰囲気に合わせて話す」といった調整能力が求められます。さらに、その調整は「空気を読む」といわれており、実際の会話の中で行われるわけではなく、実地を通して学ぶほかありません。「オードリーさんの能力は高い」と言ってくれる日本の方もいますが、私が資料を速く読み込むことができたり、優れた記憶力を持っていたとしても、こうした社会文化については共同体験によってしか学ぶことができません。そして、共同体験を早送りすることはできないのです。

ですから、あなたが今から〈ＳＤＧｓ〉の達成に向けて何かを始めたいと思ったのなら、今から共同体験を積み上げていくことのできるコミュニティを探し、無理のないペースで参加してみるのはいかがでしょうか。健闘をお祈りします。

## Question

貧困、子どもの虐待、
地球温暖化、戦争など、
さまざまなニュースを見ると、
世の中がどんどん悪い方向に
進んでしまうような気がします。
これからの社会のために
私たちができることなんて
あるのでしょうか？

（悲観的なニュースが多いと気持ちが殺伐としてきます……）

Answer

ニュースが報じているのは「結果」で、
それを変えるのはほぼ不可能です。
一方で「問題が発生する前に防ぐ」
能力は、すべての人に備わっています。

テレビやインターネットのニュースなどでたくさんの悲報を目にするうち、「自分はなんて小さい存在なのだろう」と思えてきて、何もできないと思うようになることはありますよね。

そんな時こそ、どうか『Anthem』の中の"Forget your perfect offering（完璧さを求めるのは忘れよう）"という一節を思い出してください。

本来、一人の人間が大きい構造的な問題を解決することなど不可能です。それに私にしてみれば「構造的な問題」はそもそも問題ではなく、「問題がいまだ解決されていない結果」に過ぎません。病気の症状に少し似ていて、病気そのものではないんですね。

つまり、すでに症状が出てきてしまっている大きな問題に対処することは、ほとんどの場合、人の能力を超えているのです。それでも「問題が発生する前に防ぐ」という概念があるように、未来に同じような問題が再び発生することを防ぐことはできるはずです。どんな人にもその能力は備わっています。

目の前で爆発してしまっている問題を解決するための"完璧な方法"があるとは決

して思わないでください。残念ながらそうした方法は存在しません。けれど、一人ひとりにできることがあります。**それは、自分の身に何か問題が起こったら、その問題の原因が何であるかを考え、再び同じようなことが起こらないようにするためにはどうしたらよいのかを考え、行動することです。**

だからもし大きな構造的問題が解決できない時には、「自分に何かできることはあるか？」と問うてみてください。たとえ小さなことしかできなかったとしても、あなたが何かをしたことにより、きっと未来には同じような問題が起こらなくなるでしょうから。

さらに、もし他の人々があなたが行動していることに興味を持ったり、他にも効果的な方法があると思いついた場合、それは彼らにとって非常にプラスの影響が生まれたことになります。彼らもあなたに助けてもらおうというつもりではないでしょうし、あなたもそのつもりはないでしょうが、それでも彼らはあなたによって感化されたのです。これを中国語で「身教」といいます。自分なりの方法で皆に手本を見せるという意味です。これは「よりよく生きるために、これはこうすべきだ」と命令したり、指揮をとることではありません。そんなやり方が好きな人はほとんどいませんからね。

たとえ小さくてもいい、あなたに何かしらの成功体験が生まれることを願っています。

Question

このままずっと
「社畜」でいそうですが、
こんな自分って
どうなんでしょうか？

Answer

# 「社畜」であることに、何か問題がありますか？

逆にお伺いしたいのですが、あなたがご自分を「社畜」であると思うことについて、何か問題があるのでしょうか？

日本で生まれた「社畜」という言葉は、台湾でもよく使われています。

私がこの言葉を見かけるのは主にインターネットの掲示板上で、まるで何かの階級について話すように使われています。

そして誰かがこの言葉を用いるのは、往々にして「自分はこのポジションに居続けたいわけではない」といった意思を示す時です。「仕事上または仕事以外で、もっと価値のあることを探したい」といった時に使われています。

つまり、**あなたがこの言葉を使うということは、あなたはそのことを少なからず意識しているということではないでしょうか？** それはもちろん変化への大切な第一歩ですから、私にはそれが悪いことだとは思えません。裏返せば、「社畜」という言葉があることこそが変化するためのチャンスなのです。

## Question

なかなか自分を優先できません。会社であったり、家族であったり、自分の想いを犠牲にしてきてしまったように感じます。友人にも介護や人間関係で疲れ果ててしまった人がいます。こうした状況を変えることはできるでしょうか？

## Answer

自分を大切にすることは、
他の人を大切にするための練習です。

介護と同様、ヤングケアラー[*6]の問題もありますね。

家族の世話をするのもとても大切なことですが、それと同じように「自分自身も世話をされるべき人間である」ということをお伝えしたいと思います。たとえ家族の世話をするのと同じ時間をかけるのが難しかったとしても、気持ちの面では、家族と同じくらい自分のことを大切にしてください。

自分のことを大切にできなければ、他の人のことを大切にする力は失われてしまいます。人の世話をするために自分を犠牲にした結果、自分が病に倒れてしまったら、その人ももう世話をしてもらうことができなくなってしまいます。

シンプルに申し上げるのなら、**〝自分を大切にすることは、他の人を大切にするための一種の練習だ〟**ということです。

それは第3章で私たちが「環境を破壊しない形での経済発展」について話していた内容と似ています。今の私たちが環境を大切にすることが、結果的に経済に新しい創造力をもたらすのと同じ道理です。

自分の精神や健康と引き換えに、他の人のそれを支えるのではなく、自分の精神や健康を大切にしながら、人のことを大切にする能力をつけ、それをコントロールしていきましょうということです。

そして、それは〝自分の力で世話をする〟ということだけでなく、コミュニティケアのモデルのような、何かしらの組織によってあなたの家族の世話をするといったことも含まれます。ただ何よりもまず、自分が健康であってはじめて、そうしたリソースを活用することができるわけですから、まずはどうか、自分の心と身体を大切にしてくださいね。

*6 ヤングケアラー　家庭で両親や祖父母、きょうだいの世話や介護をしている子どものこと。その多くが「健康を守る権利」、「教育を受ける権利」、社会生活において同世代の子どもたちとの関係性を作っていく「育つ権利」といった子ども自身の権利が守られていない可能性があるとされる。2021年3月に日本政府が発表した調査結果では、中学2年生の17人に一人が、家庭に世話をしなければならない家族がおり、世話にかける時間の1日平均が中学生が4時間、高校生は3・8時間だった。彼らの1割が、毎日少なくとも7時間はその世話に時間をかけているという実態も明らかになった。

(出典：文部科学省・厚生労働省が2020年12月から21年2月に日本全国の中学校、全日制高校、定時制高校、通信制高校（すべて公立）の生徒を対象に行った調査「ヤングケアラーの実態に関する調査研究」https://www.mext.go.jp/a_menu/shotou/seitoshidou/mext_01458.html)

## Question

自分も昔は「こんな社会を作りたい」「こんなふうな仕事をしたい」と思っていたのですが、会社ではいわゆるベテランのポジションにいて、若い頃のように「何かに挑戦をしよう」というパワーがなくなってきたように感じています。

今の環境は快適ですが、「自分はこれでいいのかな？」と思うところもあり、今後どういう意識で仕事や社会に接すればいいのか考えてしまうことがあります。

## Answer

純粋に
楽しむために続けても
よいのではないでしょうか。

それはとても自然なことですから、何も問題ないのではないでしょうか。

たとえるなら、オリンピック競技の馬術のように年齢を重ねても非常によい結果を残せるスポーツもあれば、卓球のように一定の年齢になるとコーチになるなど多くの人がキャリアチェンジをする種目もあるように、身体には独自のリズムがあり、それぞれに適した時間というものがあるのです。その時間が過ぎた後は、熱意や衝動に突き動かされるというより、純粋に楽しむために続けてもよいのではないでしょうか。

もちろん、囲碁のように歳を重ねれば重ねるほど経験値が上がるようなものもありますから、今の身体や心の状態に合わせて適したものを見つけていくことが、達成感を感じるための秘訣なのかもしれません。

ただ、あなたがもしまだ熱意を持っているとか、持ち続けたいといった場合でも、コーチになることはできますよ。若い人たちと一緒になってチームを組むことだって可能ですよね。あなたが積んだ経験で彼らの良きサポーターやパートナーになるのもよいのではないでしょうか。つまりは角度を変えて継続することもできるわけで、あなたがこれまでやってきたことを捨てなければならないということはないのです。

Question

# 今後の超高齢社会で、退職後はどのように過ごせばよいでしょうか？

## Answer

公共のために
何かしてみるのは
いかがでしょうか。

そうですね。第3章でもお話ししましたが、もし、公共関連の情報を入手した後、自分が暮らす地域コミュニティの生活を大きく変えるようなことができたら、その達成感は非常に大きなものになるでしょう。

また、退職後に経済的なプレッシャーがないのであれば、一日中公共サービスの向上に貢献することもできるようになります。とはいっても、何も「一日中、水道料金の支払い関連の事務仕事をしましょう」といったことではありませんよ。あなたが最も達成感を感じることのために、時間や労力を費やすということです。

そうすることで、あなたはよりアクティブに活躍できるだけでなく、仕事の内容や勤務時間内には触れられないようなテーマや、出会うことのなかった人々にまで到達することができるようになるでしょう。そしてそれらは、あなたのライフワークとなり、一生あなたを退屈させることはないはずです。

長年の間、新聞社で副編集長をしていた私の父も、台湾で初となるコミュニティカレッジの設立にかかわり、現役引退後には校長を務めていました。そこから見つけた「悩み多き中高生に哲学を教えたい」というテーマで、哲学コミュニティを立ち上げています。どれもボランティアで行っていることですが、現役時代と変わらないくらい精力的に、楽しみながら活動していますよ。

Question

# これからの世界を生きていくために、持っておきたい価値観はありますか？

## Answer

社会が用意した
脚本通りに
振る舞わなくても
いい時代です。

私たちがもし社会において、たった一つのラベル――父であるとか、教師であるとか、女性であるとか、そうした「身分」と呼ばれるもの――に従って行動しなければならないなら、それは社会が用意した脚本通りに振る舞うということになります。そうなると、私たちのコミュニケーションは大きく制限されたものになってしまうでしょう。「人からそう呼ばれているから、とりあえずそれらしくしておこう」という考えになってしまいますよね。

与えられたラベルについて、特に何も考えないまま人々とコミュニケーションをとり続けることは、もしかしたらとても楽だったりするかもしれません。ですが残念ながら、**それは本当の意味で〝社会と付き合っている〟とはいえないの**です。

私が考えているのは、私たちはこうしたラベルにはとらわれず、ただ「私にはどういった経験があり、あなたにはどのような経験があり、私たちの間にはどのような共通の経験や知り合いがいるのか」といったことにだけ関心を持つようになってもよいのではないかということです。

私の父が現役引退後に、コミュニティカレッジや青少年の哲学コミュニティでさまざまな領域の新しい友人たちと出会っていったように、**それぞれが実際に経験した事柄によって討論していくことこそが、〝社会と付き合っている〟という状態であるよ**うに思えるのです。それは、私とあなたが〝実質的な状態によって理解し合える関係である〟ということで、そのほうがきっと自由でいられると思います。